Millonarios de Manhattan: Historias 1-4

Elsa Tablac

Published by Elsa Tablac, 2023.

Millonarios de Manhattan: Historias 1-4
Primera edición: Agosto 2023
Copyright © Elsa Tablac, 2023

Millones de razones
Millonarios de Manhattan #1
Elsa Tablac

CAPÍTULO 1

NOAH Si dijese que no estaba algo nervioso mentiría. Paseé la mirada por la gigantesca sala presidencial del hotel Monk Belvedere. En unas horas estaría de lo más concurrida con nuestros mejores inversores y sus acompañantes. Michelle estaba a mi lado, revisando por enésima vez las notas que le había proporcionado para la presentación del evento, junto con los minutos exactos en los que todo debía suceder.

—No puedo creer que sigas aquí —me dijo—. Creía que te retirarías a descansar un rato. La noche será larga.

—¿Descansar?

Había cierto disgusto en el tono de su voz, pero eso no era algo nuevo para mí.

Consulté mi reloj.

—Apenas falta una hora para que empiecen a llegar los invitados. Así que he pensado que me quedo. No es necesario que pase por casa de todas formas.

Michelle era mi asistente personal. Una experimentada secretaria. Pero también ejercía, inconscientemente, el papel de la madre que no tengo, aunque ese es un sutil matiz del que tardé bastante tiempo en darme cuenta.

Su hija, Leah, acababa de volver de la universidad hacía solo unos meses y en las últimas semanas notaba un extraño interés por acercarnos. Tal vez Michelle pensaba que yo era el candidato perfecto para conquistar el corazón de su hija, así que notaba cómo de vez en cuando buscaba sutiles excusas para que nos encontrásemos.

—Leah pasará luego por la fiesta a buscarme. Espero que no te importe.

La miré. Exhibí mi mejor sonrisa, la misma que reservaba para mis principales clientes.

—Uhm, por supuesto. Has hecho bien en invitarla. Pero no sé qué puede encontrar de interés una chica como ella hoy aquí...

Michelle desvió la mirada de nuevo hacia su carpeta. No me iba a recordar de nuevo la posibilidad de invitarla a salir algún día. Me temo que eso ya lo había captado.

No tengo tiempo para mujeres ahora mismo. Creo que había sido bastante explícito con eso. No iba a hacer falta repetírselo. Era uno de mis mantras.

—Solo es para acompañarme a casa al final de la noche —recalcó.

—Pero no hace falta que te quedes hasta tarde, Michelle. Ni mucho menos.

Soltó una risita. Sabía muy bien que yo no era el mejor anfitrión del mundo. No era muy observador para esas cosas. No notaba cuándo alguien se quedaba solo demasiado tiempo en una fiesta, o cuando las bebidas empezaban a escasear. Pero hacía serios esfuerzos por mejorar.

—Veremos cómo avanza la velada.

Debo reconocer que había sido idea mía organizar una fiesta pre-navideña en la que reunir a los poderosos hombres de Manhattan que me confiaban sus fortunas para que yo les indicase cuál era la mejor manera de invertirlas. A mis veintinueve años yo ya era uno más de ellos. No tengo demasiadas virtudes; pero por suerte la de saber qué hacer con el dinero es una de ellas. Y se trata de una muy valiosa en el sur de Manhattan.

En solo cuatro años había reunido una selecta cartera de clientes. Ya era un miembro de aquel selecto club. Uno de esos carísimos trajes grises que pasean por las aceras con la mirada perdida. Pero sentía que me quedaba mucho camino por recorrer.

—He pensado que si organizamos más fiestas, tal vez Leah o alguna de sus amigas podrían ayudarnos.

Lo dije solo para que Michelle no se sintiera mal por mi sutil rechazo. De todas formas había funcionado. Mi asistente empezaba a captar que podía manejar mi agenda de reuniones, pero no si salía o no con alguien.

—Me parece una idea excelente. Pero no sé si este es el perfil de fiestas al que Leah está acostumbrada —contestó—. Supongo que todo esto le parecerá...aburrido.

—Sí, por eso te decía...

—Llegará al final de la noche, supongo.

Su hija tenía solo veinticinco años. Acababa de terminar sus estudios de enfermería y no tenía la más mínima idea de qué podría interesarle de la organización de eventos para financieros.

Michelle me observó con sus ojos grises, rodeados de pequeñas arrugas que nunca se había molestado en eliminar. Era una mujer interesante y en unos años se había convertido en mi mano derecha.

Ninguno de mis clientes entendía del todo qué hacía alguien así en mi despacho. No es el perfil típico de secretaria para alguien como yo; y sin embargo para mí tenía todo el sentido del mundo que Michelle me acompañase en el día a día. Era perfecta en la relación con los clientes y en la gestión de mi agenda. Tenía una memoria prodigiosa, —jamás se le olvidaba nada—, y una dilatadísima experiencia como asistente personal en Wall Street.

Aún le quedaban años para retirarse y yo ya me preguntaba de vez en cuando qué haría sin ella cuando llegase ese día. En ese momento se me ocurrió que tal vez no quería liarme con su hija, sino que simplemente se le había ocurrido que ella fuese una extensión de sí misma. Una continuidad de su labor como persona de confianza de Noah Pruitt.

Pero no estaba seguro de que aquello fuese una buena idea.

Las mesas ya estaban preparadas. Habíamos organizado un pequeño catering, pero se trataba de una fiesta nocturna y mis clientes eran de ese tipo de personas con la cabeza llena de números a las que se le olvidan puntualmente las funciones más básicas, como comer.

Entró en la sala un pequeño ejército de camareros. Colocaron candelabros sobre las elegantes mesas altas en las que después dispondrían la comida.

Michelle consultó su reloj por enésima vez.

—Creo que voy a revisar de nuevo la temperatura del *champagne*.

Desapareció de nuevo en dirección a la sala anexa donde la empresa de catering se había acomodado.

Y supongo que en ese instante agradecí estar solo, porque para mí el mundo habría desaparecido de todas formas en cuanto entró en la sala April Bellington.

En ese momento no supe su nombre, obvio, pero lo de lo que sí estaba seguro era de que no tardaría mucho en averiguarlo.

Era una de las camareras de Food Vision, la empresa de catering que Michelle y yo habíamos contratado para la velada. Nos había parecido que debía ser algo distinto a los servicios que nos proponía el hotel, quien finalmente solo nos cedía el espacio, una de sus salas principales.

La chica avanzó por la sala con decisión, con la mirada fija hacia el frente, concentrada en la bandeja de copas que llevaba. Había seis camareros más, todos ellos casi invisibles, mimetizados con los fondos oscuros del hotel.

Era casi insolente que un ángel como aquel cargase con semejante cantidad de copas de cristal, pareciendo ella igual de delicada.

Mi primer impulso era salvar la distancia que nos separaba, arrebatarle aquella bandeja, quitar ese peso de sus brazos y asegurarme de que estaba bien, de que se encontraba cómoda.

¿Quién era aquella chica?

Creo que me quedé tan sorprendido que incluso parpadeé varias veces para asegurarme de que no era un espejismo. Aquello era algo insólito en mí. Las mujeres eran bellas criaturas cuando no las conocía, o simplemente clientas o compañeras de trabajo a las que trataba de una forma estrictamente profesional. Pero hacía demasiado tiempo que me había comprometido al cien por cien con mi trabajo y no me permitía distracciones que alterasen mis biorritmos.

Ella era claramente una disrupción.

Como si fuese un autómata abducido, me dirigí hacia el grupo de camareros.

Me planté delante de ella.

Me miró como si estuviese entorpeciendo su trabajo, cruzándome en su camino. Seguramente era así.

—Buenas noches... April.

Leí su nombre en la placa que había clavado en su camisa, sobre sus generosos pechos. La había puesto al revés, así que me temo que incliné la cabeza para desentrañar aquellas cinco letras perfectas. Soy así de torpe.

No me contestó.

Parecía cabreada.

Pero me daba exactamente lo mismo.

—Hey —fue todo lo que dijo.

Dos de sus compañeras le lanzaron una mirada asesina, supongo que intentando advertirla de que estaba delante del anfitrión de la fiesta.

Y entonces hizo algo que me divirtió, que me hizo pensar que aquella reunión no iba a ser tan aburrida al fin y al cabo. April me miró de arriba a abajo, se dio la vuelta y se marchó de nuevo hacia la sala contigua.

Uno de sus compañeros se acercó a toda prisa.

—Dios mío, discúlpela, señor Pruitt. Me temo que April no tiene un buen día.

—Pues espero que no nos dé problemas. Es una noche importante —la voz firme y serena de Michelle se había instalado de nuevo junto a mi hombro derecho.

—El *champagne* está perfecto —me dijo, apartando a April de nuestra conversación de un plumazo—. Robert Burst ha llegado ya con su esposa. Están en el vestíbulo.

—No se preocupe —nos dijo el que a todas luces parecía el coordinador de los camareros—. Yo me ocuparé de que todo salga perfecto.

La mirada gris de Michelle recaló de nuevo sobre él.

—No. Yo me ocuparé.

El implacable golpe de voz había recaído en ese "yo".

—Vuelvo enseguida. Iré a ver a Burst y a Lillian. Veo que ya asoman por aquí —dije, excusándome de aquella repentina bronca silenciosa.

Abandoné la habitación en dirección al vestíbulo del hotel, donde mi equipo de Pruitt & Associates empezaría a recibir a nuestros invitados, pero en absoluto iba a dejar pasar la oportunidad de encontrarme de nuevo con aquella camarera.

La chica que tenía un mal día y que sin ser consciente había mejorado —y mucho—el mío. Tal vez también la semana y toda mi existencia.

En lugar de tomar el ascensor, di la vuelta y regresé a la sala donde empezaban a llegar los primeros invitados, Burst y su esposa. Le hice un gesto desde la distancia, indicándole que regresaba enseguida. Me fui directamente hacia el lugar donde April se había resguardado. Tuve que abrir dos puertas hasta hallarla, apoyada en la pared, con los ojos cerrados, inspirando y expirando profundamente.

No quería sobresaltarla, pero estaba claro que algo iba mal. Aquella chica estaba en el lugar equivocado. Para ella, no para mí.

Una aburrida fiesta para inversores en el Monk Belvedere... No. Claramente ese no era su sitio.

—¿Estás bien?

Me miró de nuevo, algo más serena.

—Estoy bien.

Aquel uniforme negro, una blusa que modelaba su busto y su cintura y una falda estrecha hasta las rodillas, le quedaba perfecto y aún así no le hacía justicia. Tenía unos enormes ojos oscuros y la boca más escandalosamente sexy que había visto nunca. Me pregunté si, ahora que estábamos del todo solos, iba a hablarme de nuevo con desprecio, como si no supiese exactamente quién era.

No tenía por qué saberlo de todas formas. Soy un tipo discreto. No existo en internet. No uso redes sociales, ni hablo con periodistas. Soy uno de esos millonarios que aún entrega tarjetas de visita.

Dicho y hecho.

Saqué una tarjeta del bolsillo interior de mi traje y la puse entre las manos de April.

—Me gustaría verte algún día. He tenido que meterme en un almacén para poder hablar contigo a solas. Y decirte que has llamado mi atención, así, entre centenares de latas de conservas.

Cogí una al azar. Creo que eran alcachofas. Se la mostré y al ver que no reaccionaba la dejé de nuevo sobre la estantería metálica.

Pestañeó, como si no pudiera creerse que estuviese allí mismo. Que la hubiera seguido hasta aquel rincón.

April desvió la mirada hasta la tarjeta negra con letras doradas. Solo tenía mi nombre y mi teléfono. Mi teléfono directo. No la línea que atiende habitualmente Michelle y que es a la que acceden la mayoría de los clientes que requieren mis servicios. Muy pocas personas tenían una de esas tarjetas.

—Noah Pruitt —leyó en voz alta.

Levantó la vista de nuevo y la posó sobre mí. De repente parecía mucho más tranquila. Como si tuviese todo el control de la situación. Y de hecho lo tenía. Sonrió.

Dio un paso al frente, agarró la solapa de mi traje con dos de sus dedos. Supongo que mi pulso cardiaco se aceleró al instante. En la otra mano llevaba la tarjeta que acababa de darle. Muy despacio, como si en ciertos momentos disfrutase moviéndose a cámara lenta, la introdujo de nuevo en el bolsillo exacto del que yo la había sacado. Miré hacia abajo mientras lo hacía. La colocó exactamente donde había estado unos segundos antes, entre el resto de las tarjetas.

—Me temo que eso, Noah Pruitt, no será posible.

CAPÍTULO 2

APRIL

Si es que era lo que me faltaba. Por si mi día no fuese ya lo peor, por si no sintiera que todo se iba desmoronando a medida que pasaban las horas, al tal Noah Pruitt se le ocurría ponerme su número entre las manos.

En una tarjeta perturbadora, un poco de psicópata, de hecho. Un trozo de cartón negro con letras doradas; como si fuese el líder de una secta y yo su próxima víctima.

Yo no llamo a hombres, había estado a punto de decirle. Pero me callé, porque tal vez habría insistido para que yo le diese mi número.

Abandoné el almacén. Lo dejé allí, sin palabras, rodeado de latas de conservas, y entré de nuevo en el vestíbulo donde la fiesta ya estaba bastante animada. O todo lo animada que puede estar una reunión de ricachones en un hotel de lujo de Tribeca.

Me habían encomendado la tarea más simple de la noche. Supongo que Joyce, la jefa, era consciente de que aquel no era mi día. Puso en mis manos una botella de un *champagne* que costaba más que la renta mensual de mi apartamento, y me pidió que paseara con ella entre la multitud. Que vigilase que las copas estaban siempre medio llenas y que tratara de sonreír.

Solo eso por hoy, April.

Y eso hice. Pero esa noche me sentía vigilada. No solo por Joyce y por Tom, tal vez el camarero más experimentado de Food Vision. También por aquella irritante mujer que parecía la madre de Noah Pruitt; la persona que estaba, en realidad, al mando de la fiesta.

Por supuesto que sabía quién era él.

Noah.

Antes de empezar a trabajar en el catering de una fiesta nos señalan discretamente quién es la persona que ha contratado el servicio, a quien debemos complacer en todo momento.

Y antes de que él pusiera su mirada en mí yo ya me había fijado en él, desde la puerta del almacén donde habíamos colocado todo lo que íbamos a necesitar.

Por supuesto que me había fijado en él.

Era imposible no hacerlo.

Inevitable.

Era demasiado atractivo y misterioso.

Por desgracia estoy demasiado acostumbrada a tratar con hombres de su condición. Para ellos somos (soy) visibles solo cada cierto tiempo. Cuando tienen sed o hambre, o las dos cosas. Pero yo los veo casi todas las noches, en fiestas de este tipo, excepto una a la semana. Mi noche libre. La noche en la que miro al techo o leo novelas policiacas en la cama. O veo una película de zombies con mi proyector. Y en fiestas como esta los observo, a ellos, no a los zombies, mientras paseo entre sus trajes de diseño italiano con una bandeja o una botella cara en las manos.

La mayoría solo ve lo que sostengo en la bandeja. Algunos me miran a los ojos y unos pocos, como Noah Pruitt esta noche, creen que pueden quitarme este uniforme y enterrarme fácilmente entre sus sábanas.

Lo que pasa es que no suelen ser tan sutiles como él. Tan delicados. Desde luego, no me ponen sus tarjetas de visita entre los dedos. Principalmente porque ya no estamos en el siglo veinte.

Aquello, debía decir, me había divertido. Me había intrigado. Y me había divertido más aún devolvérsela, colocarla en el bolsillo interno de su traje. Rozar su pecho con mis uñas a través de aquella carísima camisa blanca.

Si Joyce me hubiese visto en aquel instante, tratando con cierta soberbia a la persona que nos pagaba esa noche —a Noah Pruitt, nada menos—, me habría despedido fulminantemente. Y a decir verdad, no sabía muy bien por qué me mantenía en su equipo. A veces tenía la sensación de que yo le parecía problemática, de que buscaba una excusa para despedirme.

Y no se lo reprochaba.

Mi tiempo en Nueva York estaba tocando a su fin. Ya lo había decidido. El treinta de enero volvería a casa, al pueblo. A mis montañas en Colorado.

No había funcionado, eso es todo.

Mi experiencia en la gran ciudad había llegado a su fin.

Hacía ya dos años que había hecho una maleta en la que solo había puesto ilusión. Por entonces me ofrecieron un puesto como redactora en Rocket News y no me lo pensé demasiado. Me incorporaba en quince días y para ello tenía que mudarme a Nueva York. Compré un billete de avión —solo ida—, busqué un sitio provisional en el que vivir y empecé a trabajar como periodista.

Al principio todo fue bien. Al menos los primeros ocho meses. Hasta que todo se torció.

El redactor jefe de la productora de noticias, Luke Scripps, empezó a hacerme la vida imposible. Por un motivo muy simple, seguramente uno de los más viejos del mundo: no accedí a sus proposiciones.

No quise pasar por su cama.

Me resistí, lo rechacé, lo esquivé hasta que por fin encontró la excusa definitiva para ponerme de patitas en la calle.

Y después lo expuse, por supuesto. Denuncié lo sucedido al departamento de recursos humanos. Aunque no sirviera de nada, pues logró aferrarse a su puesto.

En menos de un año me encontré en la ciudad de mis sueños, despierta de la peor manera posible, en aquel centro del mundo hostil y despiadado, y sin el trabajo por el que tanto había peleado.

Y la cosa no quedó ahí.

No logré encontrar ningún empleo similar.

Los tentáculos de Scripps eran demasiado extensos en Manhattan. El tipo conocía a gente en todas partes, en todas las redacciones de noticias. En todas las editoras de revistas. Me rechazaron en siete u ocho entrevistas de trabajo para puestos de redacción de diversos niveles.

En el fondo nunca supe si aquello era una casualidad. Si el mundo se había aliado contra mí, si la ciudad me expulsaba de forma natural o si encima de mi cabeza flotaba una nube oscura y cargada de tormentas de la que no me iba a ser fácil desprenderme.

A no ser que me marchara, claro.

Que probase suerte en otro sitio.

En Los Ángeles, tal vez. O en Denver. Cerca de mi propia casa.

Odiaba irme de Nueva York con una sensación agridulce, pero no podía negar que el último año había sido algo más interesante. Las cosas habían mejorado algo, pero no tanto como para que me plantease quedarme. Al menos vivía más tranquila y había hecho algunas amigas.

Había retomado mi viejo empleo de los tiempos de universitaria en Colorado. Había empezado a trabajar de camarera en varios bares del Soho y de Chelsea, y después había empezado en los caterings de Vision Food.

No era más divertido, pero sí suponía más dinero. Y solo trabajaba unas cuatro o cinco horas, generalmente por la noche.

Tenía muy claro que no quería volver a casa absolutamente arruinada y sin blanca. Nadie en Colorado sabía que todo había sido un desastre, que ya no conservaba mi trabajo como redactora. Que trabajaba como camarera de caterings. Aún no había pensado muy bien qué iba a contar exactamente cuando regresara a casa; pero eso no era algo que me preocupase demasiado.

No quería verlo como un fracaso.

Lo había intentado. No había funcionado.

Era solo un callejón sin salida y tenía que volver sobre mis pasos.

Aquel no era mi sitio. *Punto.*

Y eso no significaba que me hubiese desenamorado de la ciudad. Simplemente, creía que debía poner distancia entre ella y yo.

Con todo este panorama, supongo que es bastante comprensible mi fijación por evitar a los hombres en esta etapa de cierres y despedidas. Especialmente los hombres ricos y poderosos, los que pensaban que podían obtener de mí lo que quisieran.

Y eso, por desgracia, incluía a Noah Pruitt.

No iba a hacer una excepción por él, aunque la duda me estuviese desbordando en ese instante. Mi plan de cerrar esa etapa y marcharme de la ciudad seguía en marcha. No podía evitar que alguien como él me distrajera.

Un mes y poco. Solo un mes.

Pero lo que más me mosqueaba de todo era que aquella duda hubiese surgido de repente, mientras paseaba entre los invitados de Noah Pruitt con una bandeja en la mano. ¿Me había precipitado rechazándolo? ¿Había aniquilado cualquier posibilidad de...algo?

¿Por qué mi mente volvía y una otra vez a aquel almacén, a aquel minuto en que nos habíamos quedado solos?

Al momento en que rocé su pecho cuando puse de nuevo la tarjeta en el bolsillo de su camisa.

Ese fue el momento exacto en el que sentí que tal vez me iba a arrepentir. Que la hora de dejar atrás aquella ciudad no había llegado.

Y que tal vez eso, en el fondo, no tenía nada que ver con Noah Pruitt y su inofensivo coqueteo.

CAPÍTULO 3

A PRIL
El dinero y el lujo tienen un olor muy particular. Es casi indescriptible, así que no podría hacer un esfuerzo por colocarles adjetivos.

Antes de empezar a servir en aquellos caterings para ricos pensaba que nunca podría amoldarme a esos ambientes. Nunca encajaría. Jamás podría ser una de ellos aunque alguien retirara la bandeja de mis manos y me colocase el más espectacular de los vestidos.

Pero la realidad es que no los veo mejores que yo. Y esa noche, la misma en la que conocí a Noah Pruitt, aún me depararía algunas sorpresas. Y no precisamente agradables.

Había pasado una hora y media y la fiesta en el Monk Belvedere se había animado bastante. Me concentré en la sencilla tarea que me habían encomendado; observar las copas, leer las miradas que requerían más *champagne*, llenarlas, deslizarme otra vez entre los cuerpos que se saludaban. Resultar efectiva e invisible.

No muy complicado.

Invisible para la gran mayoría.

No para Noah Pruitt, por supuesto. Notaba su mirada buscándome desde la otra punta de la sala, aunque hubiese gente interponiéndose en nuestro camino. Me concentré en ignorar su atención, aunque no era algo fácil.

Pero esa noche había un segundo hombre observándome a cierta distancia. Una distancia que no dudaría en salvar para tratar de derribarme, para que me diese cuenta de que cualquier duda de abandonar Nueva York era más que infundada.

—Vaya. Qué inesperado.

14

Oí la inconfundible voz de la serpiente a mi espalda.

Me giré para encontrarme con su copa vacía y su sonrisa venenosa y repulsiva.

Ahí estaba. El mismísimo Luke Scripps.

Mi exjefe.

Mi antiguo acosador.

El ente que había arruinado mi existencia en la ciudad de mis sueños.

Supongo que inconscientemente di un paso atrás. Porque de ninguna manera estaba dispuesta a amilanarme ante aquel subser.

La rabia me invadió. Habría querido decirle que no había logrado hundirme, que allí seguía, al fin y al cabo, que me había levantado después de su golpe bajo y que haría exactamente lo mismo una y mil veces.

El problema es que, de todos los rincones de Nueva York, aquel era el peor sitio para encontrármelo. El peor sitio y el peor momento.

—¿Qué tal te va, April? —me preguntó, mientras agitaba sutilmente su copa vacía delante de mi cara.

La rellené en silencio.

Dios, cuánto odiaba a aquella maldita serpiente.

—Parece que no muy bien —se respondió él mismo.

Odiaba su maldita condescendencia.

Él era el principal culpable de la situación en la que me hallaba. Pero no podía caer en su trampa. Buscaba una reacción en mí y no la iba a tener.

Me pregunté qué hacía en la fiesta de Noah Pruitt. ¿Acaso era uno de sus clientes? ¿Su amigo? Si era así, por supuesto que cualquier posibilidad de algo con el anfitrión de aquel nido de víboras estaba más que finiquitada.

—Si me disculpas... —murmuré.

Scripps se acercó de nuevo a mí y me cerró el paso.

—¿Tienes un segundo? Siento mucho lo que pasó entre nosotros, April. Creo que todo fue un lamentable malentendido. Se nos escapó de las manos.

—¿Un malentendido?

—Lo que quiero decir es que estoy dispuesto a enterrar el hacha de guerra. Me consta que hiciste todo lo posible por reconducir tu carrera después de nuestro pequeño traspiés. Y que no te fue posible. De repente circuló cierto rumor de que eras alguien un poco...difícil en el ámbito laboral. Y supongo que nadie se arriesgó a contratarte.

La sangre me hervía. Y entraría en erupción si no me largaba de allí inmediatamente. Y no solo del radio de acción de Luke Scripps. Debía salir de aquella fiesta tóxica de inmediato. Aquello me costaría mi despido, pero mi ciclo en aquel lugar estaba tocando a su fin y estaba más que dispuesta a precipitar mi salida.

Agarré la carísima botella de Moët con fuerza y di un buen trago de *champagne,* ante la mirada bobalicona de Scripps.

Después lo miré desafiante.

—No ha habido ningún malentendido, Luke.

—¿Cómo dices?

—No. Ningún traspiés. Te equivocaste de persona, eso es todo.

Se metió las manos en los bolsillos.

—Me jodiste, April. Me rechazaste y después intentaste hundirme. Pero como te decía, puedo darte una segunda oportunidad. Todos tenemos derecho a ella. Puedes recuperar tu empleo de periodista mañana mismo, si así lo quieres. No parece que estés muy contenta aquí, sirviendo copas, y si recapacitas y me acompañas esta noche a casa hablaremos y podré ayudarte a...

No iba a malgastar más palabras con aquel tipo.

Levanté el brazo y vertí el contenido que quedaba, más de la mitad de la botella, sobre la cabeza de aquel presuntuoso de Scripps.

Alguien a nuestro alrededor profirió un grito de asombro o tal vez había recibido parte del inesperado baño de *champagne*, pero permanecí impasible a aquel entorno hostil.

Disfruté cada segundo de su gesto de desagradable sorpresa, por muchas consecuencias que eso tuviese. Sabía muy bien que estaba arruinando su carísimo traje —probablemente prestado, dudaba que Scripps se gastase el dineral que costaba aquel *suit* de Armani— y que aquellos eran mis últimos minutos como servidora de *champagne* de Vision Food.

También sabía que arruinaba algo más:

La fiesta de altos vuelos de Noah Pruitt y cualquier opción que tuviese de acercarme de nuevo a él.

Porque me costaba horrores reconocerlo, pero mientras me deslizaba por aquel mar de trajes caros y de manos enjoyadas yo también había desviado la mirada de vez en cuando.

Para mirarlo a él.

Para encontrarnos desde la distancia.

Pero el grito de horror y furia de Luke Scripps me devolvió en ese instante a la cruda realidad.

CAPÍTULO 4

NOAH

Corrí hacia allí. Agarré a ese idiota de Scripps por la solapa y lo arrastré fuera de la sala, hacia la zona de los ascensores. A decir verdad, no sé muy bien cómo se había colado en mi fiesta. Por mi parte no estaba invitado y tendría que verificarlo con Michelle, pero diría que por la suya tampoco.

No puedo explicar lo que sentí cuando lo vi agarrar a April por el brazo y zarandearla delante de todo el mundo.

Y no quiero pensar que mi reacción fue un brutal sentimiento de posesión, sino más bien de protección. No iba a tolerar que la tocase, y mucho menos que la sujetara con sus garras.

Desconocía qué había pasado, por qué April había decidido volcar una botella de Moët por encima de aquel cretino, pero si lo había hecho estaría más que justificado.

—¡Fuera de aquí! Ahora mismo, Scripps —exclamé.

El muy imbécil me miró con cara de no entender nada.

—Creo que te equivocas, Pruitt. No es a mí a quien debes expulsar de tu absurda fiesta, sino a esa fiera pueblerina y maleducada que está desatendiendo a tus invitados.

No pude evitarlo. Supongo que le tenía ganas, y que todos los comentarios que había oído sobre él se habían acumulado en mi subconsciente con el paso de los meses. Le propiné un puñetazo que hizo que se tambaleara.

Oí a mi espalda el grito ahogado de Michelle. No muy lejos, junto a la puerta que daba acceso al salón de la fiesta, estaban April y el encargado de catering, observando la escena con cara de circunstancias.

En ese momento la puerta del ascensor se abrió. Empujé a Scripps hacia su interior y pulsé el botón de la planta baja.

—Lárgate.

Me dirigí a Michelle:

—Por favor, pide a seguridad que se aseguren de que abandona el edificio.

Michelle asintió en silencio.

En aquel instante, April se acercó al segundo ascensor. Llevaba un abrigo colgado de un brazo y su bolso del otro. No se me pasó por alto su rostro febril y enrojecido, no sé si por la vergüenza o la satisfacción. El segundo ascensor alcanzó nuestra planta. Las puertas se abrieron y April se metió en él sin mirarme y sin mirar el rastro de destrucción que había dejado atrás.

Desaparecido Scripps de mi vista, la duda que me asaltó fue la más evidente. ¿Iba a permitir que aquella mujer se esfumase sin más? En ese instante me di cuenta de mi surrealista realidad: April había pulverizado mi noche, mi fiesta y mi corazón en el momento en que devolvió la tarjeta que le di a mi bolsillo.

Delante de Michelle y del encargado del catering salté al interior de su ascensor justo antes de que las puertas se cerrasen. Nos perdimos juntos y solos en las entrañas del Monk Belvedere.

April pulsó el botón de la planta baja. No me miró. Estaba evidentemente alterada. Yo era en aquel momento el menor de sus problemas; y eso no era una mala noticia.

Era, de hecho, mi última oportunidad.

—¿Dónde vas? —me preguntó, sin apartar la vista del panel de botones.

—Voy a acompañarte. ¿Crees que voy a permitir que te cruces de nuevo con ese cabrón de Scripps? Probablemente esté rondando por el vestíbulo del hotel. O fuera, en la puerta, buscando un taxi.

April suspiró y negó con la cabeza.

—No quiero que tengas problemas por mi culpa. Soy un imán para eso, ¿sabes?

—Para qué.

—Para los problemas.

—Pues yo soy especialista en resolverlos. Me pagan mucho dinero por eso.

Me miró con curiosidad. A aquella chica no le interesaba mi dinero. Era de esa clase de personas. No la iba a impresionar con comentarios de ese tipo.

—Disculpa —me retracté—. Supongo que eso es irrelevante. ¿Vas a contarme qué te dijo Scripps? ¿Por qué le tiraste el *champagne* por la cabeza? Imagino que eso puede comportar que te despidan de tu puesto, y créeme que haré todo lo que esté en mi mano para que conserves tu empleo si es lo que deseas, pero yo solo me pregunto si...

—Así es. Estoy despedida. Pero eso ya da igual.

La miré, confiando en que continuase abriéndose a mí, poco a poco. Tenía todo el tiempo del mundo para desentrañar el repentino misterio de la chica del catering.

—¿Qué quieres decir?

—Me marcho. Me voy de Nueva York. Así que lo del trabajo ya no importa. Y supongo que Luke Scripps, por desgracia, ha tenido bastante que ver en esa decisión.

Prácticamente se me había nublado la vista al oír aquella dolorosa revelación.

¿Se iba?

¿Cómo que se iba?

—Vuelvo a casa. A Colorado —continuó April—. Me temo que esta ciudad no es para mí. Han sido dos años y sigo sin encajar aquí.

Me dio la sensación de que el nudo que se acababa de instalar en mi garganta no se desharía en toda la eternidad si no conseguía que aquella chica se quedase a mi lado. Pero, ¿por qué tenía la sensación de que iba a ser lo más difícil? ¿Qué derecho tenía yo a influir en una decisión tomada tan a conciencia? Solo me quedaba llegar a la raíz del problema. Pero los minutos, mi tiempo a su lado, seguían menguando.

Las puertas del ascensor se abrieron. Estábamos en el imponente vestíbulo del Monk Belvedere.

Salimos del ascensor y eché un vistazo a lo largo del luminoso *hall* del hotel. Pero no me fiaba. No iba a permitir que aquella chica quedase sin protección ante la más que probable presencia de Scripps.

—¿De qué lo conoces? —me preguntó entonces—. A Luke. ¿Es amigo tuyo?

—¿Amigo? No, en absoluto. Creo que es conocido de alguien que iba a venir esta noche. De hecho solo lo he visto un par de veces. Una de ellas en una partida de póker hará cosa de un año. Nunca me ha dado buena espina y oí que tuvo problemas legales por acosar a una chica. Por eso, cuando he visto que te sujetaba por el brazo, perdí los nervios...

—Fue mi jefe —dijo April.

—¿Tu jefe?

—En Rocket News. Hace un tiempo. Tuve que dejar ese trabajo, obvio. De todas formas no iba a aguantar mucho tiempo al lado de alguien así.

—¿Trabajabas en Rocket News? Entonces eres...

—Soy periodista. Todo esto de los caterings, bueno... era algo temporal. Pero como te decía no acabo de encontrar mi sitio en Nueva York. Por eso decidí volver a casa. Al menos durante un tiempo, y luego veré qué hago.

Había un doloroso rastro de derrota en su tono de voz. Y lo peor era que se notaba a leguas que aquella chica había luchado lo indecible.

—Dime una cosa, April. La chica por la que Scripps tuvo problemas...diría incluso que estuvo a punto de ser despedido...¿eras tú?

Asintió, pero luego pareció dubitativa.

—Puede ser. Diría que sí. Pero no puedo estar del todo segura. Sé que hubo más chicas. Antiguas redactoras que tuvieron que dejar el trabajo por su culpa.

—Dios mío. Te prometo una cosa, April: voy a hacer que se arrepienta. Será él quien tenga que largarse de aquí. De esta ciudad.

April caminaba ya hacia la puerta del hotel. Miré a mi alrededor con cierto desespero. ¿Qué podía hacer para retenerla, aunque fuera solo unos minutos más? Había rechazado mi tarjeta y no parecía dispuesta a darme su número.

—Te llevo a casa —le dije entonces.

—No. De ninguna manera. Yo estoy bien. Debes regresar a la fiesta y atender a tus invitados. Desaparecer de una fiesta propia cuando ni siquiera ha alcanzado su punto álgido es un poco...desconsiderado.

—Pues toma algo conmigo en el bar del hotel.

April se rio.

—Esa alternativa no tiene ningún sentido ahora mismo, señor Pruitt.

—La fiesta está bajo control. Bajo el férreo control de Michelle, mi asistente.

—¿La señora de la carpeta?

—La misma. Si no quieres que te lleve a casa, al menos deja que lo haga mi chófer, April.

Se giró hacia el exterior del hotel y señaló una hilera de taxis junto a la puerta. Eso me tranquilizó. Lo más probable era que Scripps ya se hubiese largado a casa a cambiarse y que no estaría aún rondando por los exteriores del edificio.

—Te lo agradezco de veras, Noah. Pero ha sido una noche algo complicada. He de despedirme ya.

Se plantó delante de mí, con sus ojos fijos en los míos. Observé cómo sus pupilas se desplazaban lentamente hasta mis labios. Aquella chica me derretía con la mirada, y el hecho de que pronunciase por primera vez mi nombre en voz alta no me ayudaba a mantener la compostura.

Pero tenía toda la razón. Era egoísta pedirle que se quedase, que me acompañase un rato más, solo porque yo quería saciarme de ella, de su presencia.

Acababan de despedirla de su trabajo, algo de lo que sin duda me ocuparía personalmente al día siguiente, pero lo más preocupante era aquella firme determinación de subir a un avión e irse lejos, muy lejos.

April se acercó un poco más y me dio un suave beso en los labios.

—Un pequeño agradecimiento —me dijo—. Por ese certero puñetazo. Y también una despedida.

Cogí sus manos con determinación.

En aquel momento, y antes de que April me abandonase definitivamente, después de destrozarme con aquel beso insuficiente y perfecto al mismo tiempo, la puerta giratoria del hotel se deslizó.

Entraron tres chicas jóvenes y a una de ellas la reconocí enseguida.

—¡Noah! —exclamó, en el peor momento posible.

Era Leah. La hija de Michelle. Estaba advertido de que llegaría en algún momento de la fiesta. Y respondiendo a su habitual impulsividad y a su inevitable energía, se acercó dando saltitos a mí y se colgó de mi cuello. Delante de April.

Quise que el lujoso mármol del vestíbulo del Monk se resquebrajara y me devorase en ese instante.

Traté de apartar a Leah de mi cuello con cuidado, con la mirada clavada en April, tratando de disimular mi incómoda sonrisa.

—Estás ocupado, Noah. Me marcho ya. Gracias por todo —dijo April.

Ni siquiera me dio tiempo a reaccionar. Mientras las amigas de Leah me rodeaban mostrando un irracional entusiasmo, April se deslizó por las puertas giratorias del hotel a toda velocidad, en dirección al primer taxi de la fila, creando una inmediata y punzante distancia entre nosotros, entre nuestros mundos opuestos.

Yo volvería a la cima de Manhattan.
Ella pronto subiría un avión.
Imaginé que tenía poco tiempo para evitarlo.
Muy poco.
Menos de lo previsto.
Y estaba dispuesto a actuar enseguida.

CAPÍTULO 5

APRIL

¿Los labios pueden latir, como si el corazón hubiese decidido asomarse al exterior por esa vía?

Supongo que no, pero así lo sentía en el asiento trasero de aquel taxi, que conducía a toda velocidad en dirección a Brooklyn. A casa. Necesitaba estar en casa.

Tenía unas ganas horribles de llorar a pesar de que los labios de Noah Pruitt me habían recibido de la mejor manera. Supongo que eran las emociones acumuladas de aquella noche convertida en montaña rusa.

Había perdido mi trabajo pero había conservado mi dignidad.

Había perdido mi oportunidad con Noah Pruitt pero le había robado un último beso.

Abrí mi bolso y saqué de él la tarjeta. Dios mío. Si todo aquel asunto del periodismo, o incluso de los caterings, se hundían definitivamente tal vez podría ganarme la vida como carterista. O fundar mi propio espectáculo de magia, quién sabe.

En el momento en que hundí mis labios en los suyos, receptivos y expectantes, había alcanzado el bolsillo interno de su traje, donde sabía muy bien que Noah guardaba sus anticuadas tarjetas de visita. La cogí de nuevo. Probablemente la misma que él me había dado unas horas antes.

Allí estaba su número de teléfono y su nombre. Letras doradas sobre fondo oscuro.

Fue un acto impulsivo. Irracional. No tengo la menor idea de por qué lo hice. Por qué le había robado de su bolsillo la tarjeta que yo misma le había devuelto. Supongo que fue un deseo irrefrenable de aferrarme a algo que estaba intentando negarme a toda costa.

Mañana amanecerá, pensé. *Noah Pruitt se convertirá en el recuerdo de una noche pasada y tendrás suficiente con enfrentarte a tu nueva realidad, que no es otra que asimilar que no tienes trabajo.*

Observé las luces de Manhattan que habíamos dejado atrás por el espejo retrovisor del taxi. El taxista era un hombre de origen indio, con edad suficiente para ser mi padre, afable y callado.

Mi ridículo orgullo me había impedido aceptar la última de las proposiciones de Noah: que su chófer personal me llevase a casa. ¿Por qué lo había rechazado? Tal vez porque eso implicaría que él acabase averiguando dónde vivía, mi dirección exacta; y que se presentase allí al día siguiente con un ramo de flores, asomándose por la ventana del techo de uno de sus Mercedes; como en aquella antigua comedia romántica de Richard Gere y Julia Roberts. La favorita de mi madre; la película que tal vez volvería a ver con ella más pronto de lo esperado, sentadas en el sofá de la casa en la que había crecido.

En apenas veinte minutos llegamos a Park Slope, el lugar donde residía. Hacía medio año que había alquilado allí un pequeño estudio y aún no me hacía a la idea de abandonarlo. Había hecho de aquel sitio minúsculo mi hogar.

Le di al taxista los cuarenta dólares que me pidió y le indiqué que se quedase con el cambio.

En el momento en que puse un pie fuera de aquel taxi me di cuenta de que iba a pasar.

Volvía a casa.

A Colorado.

Mucho antes de lo previsto.

No iba a esperar el mes de rigor que había planificado, esperando que algo o alguien obrase el milagro.

Me iría en quince días. Exactamente los mismos que necesitaba para avisar al dueño de mi apartamento y poder recuperar la fianza.

Al fin y al cabo, no tenía un trabajo al que volver al día siguiente. No había mucho más que hacer allí, más que organizar mi traslado. Había tomado decisiones en aquel trayecto de taxi que en el fondo no me podía permitir. En circunstancias normales habría vuelto a casa en metro pero no iba a caminar hacia una de las estaciones del sur de Manhattan después de rechazar la generosa oferta de Noah.

Salí del taxi y caminé en dirección a los seis peldaños de mi edificio de apartamentos. Era una noche animada, el típico jueves en que los estudiantes toman las calles, saltando de bar en bar. Por eso no me extrañó apreciar la figura masculina que permanecía en lo alto de la escalera de la entrada.

Había pedido al taxista que se detuviese a unos cien metros de la entrada. Pensé en comprar algo de comer en el *deli* de la esquina, solo para descubrir al cabo de unos minutos que en el fondo no tenía hambre. Que en realidad no deseaba celebrar aquel ridículo triunfo sobre Luke Scripps, consistente en bañarlo con el *champagne* más caro de la fiesta.

Aminoré el paso cuando descubrí la identidad del hombre que esperaba junto a la puerta cerrada.

No porque lo considerase peligroso.

O tal vez había cierto peligro, sí.

Peligro de cambiar mis planes.

Peligro de que todo se desmoronase.

Peligro de que todo saliese bien.

En la puerta de mi apartamento me esperaba Noah.

¿Cómo había logrado averiguar mi dirección?

¿Cómo había llegado antes que yo?

CAPÍTULO 6

NOAH

Me la estaba jugando. Era perfectamente consciente de ello. Pero sentía que esa noche ya tenía poco que perder y mucho que ganar. Si me hubiese parado a analizar lo que estaba sintiendo primero me habría asustado, y después tal vez me habría censurado.

Como ya dije, no soy alguien que se deja arrastrar por una mujer tan fácilmente. Siempre consigo evadirme, regresar a mi rutina de números y rascacielos.

Así que sentía que esa noche no estaba pensando, solo actuaba, respondía a mis deseos, desde el momento en que seguí a April hasta el almacén donde estaban las conservas hasta que le pedí a mi chófer que siguiese al taxi que acababa de abandonar el hotel, como en las películas de acción; pasando, por supuesto, por el puñetazo que le había propinado a Scripps.

No había terminado con ese desgraciado. Jamás podría perdonarle que hubiese hecho todo lo que estuviera en su mano para que April Bellington no volviese a trabajar como periodista en Nueva York. Él era, por tanto, el culpable absoluto de la decisión de April de dejar la ciudad. Y eso iba a pagarlo muy caro.

Soy uno de los pocos millonarios escrupulosos que rondan por el sur de Manhattan, pero puedo garantizar que puedo comportarme como un auténtico tiburón cuando es necesario. Estoy rodeado de ellos. Sé adiestrarlos y también disfrazarme de uno. *Iré a por Scripps en cuanto tenga un minuto libre,* me juré a mí mismo. *Y eso sucederá cuando haya estrechado a April Bellington entre mis brazos y la haya convencido de que no tome ese avión.*

Subí al coche que ella había rechazado y le indiqué a mi chófer que siguiera al taxi que acababa de abandonar la puerta del hotel.

La habría interceptado en cuanto se bajó del taxi, en Brooklyn, pero yo fui más rápido. Observé cómo April se acercaba a la puerta de un supermercado veinticuatro horas. Se detuvo unos instantes en la puerta, pero no entró. Después reculó y empezó a andar en la dirección en la que yo estaba. Me subí a las escaleras de acceso de uno de los edificios de la calle Carroll en Park Slope, para no perderla de vista.

Y desde allí observé como caminaba en mi dirección y ella misma subía esos escalones medio minuto después, sorprendida. O tal vez no.

Para mí era indispensable que April empezase a ser consciente de mi presencia, de que no me iba a retirar de su vida.

—No te das por rendido fácilmente —me dijo.

No estaba molesta, pero sí parecía cansada.

Algo me decía que se alegraba de verme, que no iba a tener que responder preguntas operativas del tipo "cómo has llegado hasta aquí".

—No te robaré mucho tiempo, April. Solo...quería volver a verte.

—¿Hoy mismo?

Asentí.

Volvió a mirarme de la misma forma, así que no dudé en acercar sus caderas a mi cuerpo. Necesitaba sentirla cerca.

La besé.

Esta vez la besé yo.

Acuné su rostro entre mis manos.

—No quiero que pienses que consigo todo lo que deseo. No siempre es así.

—¿Qué está pasando? —preguntó April, aunque parecía más una reflexión en voz alta que una duda real.

De repente una pequeña ventisca atlántica nos envolvió. Ella se apretó un poco más contra mi pecho y eso terminó de conquistarme.

¿Era posible que hubiese llegado en el momento que menos esperaba? La mujer con la que mi subconsciente soñaba, la que mi razón había bloqueado durante tanto tiempo, me había atrapado sin posibilidad de escapar en el momento en que la vi derramar una botella de *champagne* sobre su agresor.

—Creo que es mejor que entremos —dijo.

El pequeño estudio en el que vivía April estaba en el cuarto piso de aquel bloque de Park Slope. El ascensor era un viejo montacargas renqueante, el típico habitáculo de película de terror en el que rezarías por no quedarte encerrado. Y sin embargo la sola idea de quedarme atrapado allí dentro con ella me hacía estremecer de pura felicidad.

Llegamos a la cuarta planta. Mientras April buscaba las llaves en su bolso yo cercaba su cuello con auténtica ansia devoradora. Me moría por recorrer cada centímetro de su piel con mi lengua.

No había ningún otro camino posible más que el que nos condujo hasta su cama, que en realidad estaba a unos pasos de la puerta. Nunca había estado en un apartamento tan pequeño; y en ese momento tuve el convencimiento de que aquella chica se merecía un auténtico palacio, un *loft* de ensueño que reinase sobre Manhattan. Y estaba más que dispuesto a proporcionárselo.

Arrojé suavemente a April sobre la cama y me abalancé sobre ella. La deseaba tanto que casi me dolía. Me coloqué sobre ella y busqué sus labios, que me recibieron como las veces anteriores, humedecidos. Mi erección se encajó entre sus muslos y me pregunté cómo iba a hacer para aguantar un poco. Quería empujarla ya en su interior y follarla hasta que se deshiciese bajo mi cuerpo.

Y entonces April me sorprendió. Me obligó a darme la vuelta y quedarme sobre el colchón. Se arrodilló a toda velocidad sobre él y buscó la cremallera de mi pantalón. Liberó mi polla al instante.

Hasta esa noche mi mente había estado cien por cien ocupada con negocios, con el dinero ajeno, que casualmente multiplicaba también el mío. No tenía demasiado tiempo para salir y las mujeres que se me acercaban con cierto interés, como por ejemplo Leah, la hija de Michelle, formaban parte de mi ámbito profesional.

Había pasado mucho tiempo desde que había estado así con alguien, ni me acordaba de cuánto exactamente. Tal vez un año. O un año y medio. Y lo que sentí no había sido ni una décima parte de las sensaciones que me estaba despertando April.

Se inclinó sobre mi cuerpo y empezó a deslizar su lengua por mis ingles. Estaba demasiado cerca de mi sexo, notaba su aliento recorriendo mi piel. Mi respiración se aceleró y, consciente de eso, se lo introdujo en la boca.

Gruñí de placer. No era normal lo que aquella chica me despertaba.

—Dios, April...No tienes que...

—Shhhh. Me muero de ganas de hacerlo.

No era sucio.

Era lento, y perfecto, y muy íntimo.

Nunca había tenido ninguna conexión así con nadie. Y sé que tal vez alguien podría pensar: es pronto, es demasiado pronto para sentirse así. Pero en ese momento me aferraba a la firme idea de que estaba ante la mujer especial con la que había fantaseado desde que me independicé.

April deslizó su lengua arriba y abajo durante varios minutos, succionando el glande. Estaba loco por pensarlo, pero tal vez aquello era un acto de amor en lugar de lujuria.

Puse mis manos sobre sus hombros para detenerla.

—Si sigues haciendo eso no aguantaré mucho más.

Me lanzó una sonrisa pícara y mientras terminaba de desabotonar mi camisa se deslizó sobre mi torso y lo recorrió con su lengua, hasta llegar de nuevo a mis labios. La agarré de las caderas y la levanté para colocarla de nuevo sobre el colchón, a mi merced. Estaba decidido a arrancarle un orgasmo detrás de otro.

Pero April también parecía tener cierta prisa. Envolvió sus piernas alrededor de mis caderas, besándome fuerte. Nuestras lenguas se entremezclaban como si realmente estuviésemos hambrientos el uno del otro. Le quité los pantalones y la camisa; y quedó en ropa interior bajo mi cuerpo, aún semivestido.

—Eres perfecta. Dios mío, mira esto...

Deslicé la lengua por encima del sujetador. Sus pezones se revelaban contra la delicada tela.

—Noah...Te necesito. Necesito que entres ya...

Me deshice de aquel sujetador y lo tiré al suelo. Enterré el rostro entre sus generosos pechos, chupando y mordisqueando sus pezones. April gimió mientras sostenía mi cabeza, evitando que me ahogase en aquel océano de piel perfecta, suave y ardiente.

—He estado pensando en esto desde que te vi —le susurré—. ¿Eres consciente de lo jodidamente atractiva que estabas esta noche?

—Supongo que en el fondo esperaba que estuvieras mirando— jadeó April, mientras me deslizaba para besarla de nuevo —Estuve pensando en ti todo el tiempo, en esa fiesta, mientras servía el *champagne*.

—¿Quieres que te muestre lo que me haces sentir, April?— pregunté mientras deslizaba mi mano hacia el interior de sus bragas, buscando su clítoris. Cerré los ojos y su cuerpo se retorció de placer debajo del mío.

—Dime lo que quieres —le ordené. Quería oírlo de su boca. Necesitaba constatar que me deseaba tanto como yo a ella.

—Quiero que juegues con mi coño— me dijo, con voz entrecortada finalmente. Y esa fue toda la excusa que necesité para guiar mis dedos hacia su orificio empapado y empujarlos hacia dentro por primera vez.

Joder, qué apretada, pensé. Sabía que se sentiría aún mejor envolviendo mi polla, pero en ese momento, solo quiero verla correrse en mi mano, entre mis dedos. April empujó sus caderas hacia arriba para buscar un contacto aún más intenso, dándome todo el acceso que necesitaba. En ese momento deslicé un brazo alrededor de su cintura para sostenerla mientras follaba su dulce coñito con mi dedo. Primero uno. Después dos.

—Oh, dios mío, ¡Noah!— exclamó

Sus ojos prácticamente estaban en blanco. Empujé mis dedos dentro de ella hasta el fondo y los mantuve ahí, moviéndolos lentamente de lado a lado, para que pudiera sentir cada centímetro de ellos en su interior, mientras masajeaba su clítoris con el pulgar.

—Dime lo bien que se siente— le ordené—. Dime que estás a punto de correrte, April.

Ya lo sabía. En realidad no necesitaba que ella lo dijese, porque sabía muy bien que sus palabras multiplicarían por mil mi excitación. Lo sabía porque mi mano estaba completamente bañada con sus jugos.

CAPÍTULO 7

A PRIL
—Increíble. Es alucinante.

Las palabras abandonaban mi cuerpo sin apenas pensarlas. Solo describían vagamente lo que sentía debajo de Noah. Sus dedos se movían en mi interior como si hubiesen memorizado todos mis recovecos y mis puntos débiles en tiempo récord.

Estiré la mano y hurgué en el primer cajón de la mesita de noche, junto a la cama. Enterrada en mi ropa interior había una caja de preservativos precintada. Ni me acordaba de cuándo la había comprado. La cogí y la puse junto a mi cuerpo. Noah leyó mi gesto enseguida. La buscó y sacó uno de su interior. Empezó a colocárselo; y ese simple gesto aceleró mi pulso. Se acercaba. El momento que tanto ansiaba desde que lo había visto inesperadamente en la escalera de entrada al edificio.

Noah se colocó entre mis piernas. Estaba a punto de suceder. Uno de los jóvenes más ricos y atractivos de Manhattan se había rendido a mí, obraba sin pensar, impulsado solo por su inflamado deseo.

Lo atraje hacia mí con mis piernas. Nuestros cuerpos emanaban un calor irresistible.

—Noah, por favor, te necesito ya dentro de mí.

No pudo contenerse al oír mi súplica. Separó mis rodillas de nuevo, me quitó las bragas y yo guié su sexo hasta mi interior.

—Estás empapada, April. Quiero que me mojes entero.

Se deslizó dentro de mí con un movimiento rápido y certero. El sonido que se desprendió de mi cuerpo no se parecía a nada que hubiese escuchado antes. Noah no perdió el tiempo. Llegó hasta el fondo enseguida, arrancándome un grito. Se detuvo un instante para observar mi reacción, y entonces decidió que cambiaríamos de posición.

Noah se sentó sobre sus rodillas, colocándome encima, en su regazo y ensartándome hasta el fondo.

—Ahora muévete, April. Soy tuyo.

Aquella invitación era demasiado irresistible y yo estaba en la mejor posición para que Noah alcanzase lo más profundo de mi cuerpo. Era como si nuestros cuerpos estuviesen diseñados para permanecer así, juntos, moviéndonos despacio.

Nos sincronizamos. Empecé a subir y bajar mientras él recorría mis pechos con sus manos.

—Perfecta, eres perfecta, April...Vas a volverme loco. Vas a ser mi perdición...

Él me jaleaba y yo aumentaba el ritmo. No podía apartar la mirada de sus ojos extasiados y entrecerrados. Nuestros cuerpos conectaban tanto a través de la mirada como de nuestro sexo.

Estaba a punto de llegar al más absoluto éxtasis. Había olvidado aquella sensación perfecta, cuando estás a punto de desbordarte, de caerte por ese precipicio seguro.

—¡Joder, joder! —exclamé.

Enterré los dedos en su pelo y estiré, tal vez con algo más de fuerza de la que pretendía. Y entonces llegó el orgasmo, desbordándome. Y supongo que él percibió cómo mi carne latía alrededor de la suya, oprimiendo su sexo con suavidad, y se dejó ir, ahogando un grito aún más potente en mi cuello. Noah gritó sobre mi piel.

Caímos sobre la cama, exhaustos, buscando de nuevo el calor de nuestros cuerpos, completamente ajenos a la sombra que nos vigilaba.

CAPÍTULO 8

N^{OAH} No sé cuánto tiempo permanecimos dormidos. April se había acurrucado entre mis brazos, buscando el calor de mi pecho, y yo había echado una manta encima, cubriendo su espalda y sus caderas. Ni siquiera nos habíamos molestado en deslizarnos bajo las sábanas. Aquella chica estaba exhausta, así que la dejé dormir.

Algo me despertó, y supongo que lo primero que pensé fue que eran los ruidos propios de un entorno nuevo y desconocido a los que April estaría más que acostumbrada. Aquel viejo edificio de Brooklyn debía tener un sistema de cañerías algo destartalado e inestable, a juzgar solo por el ascensor montacargas que conducía hasta la planta superior, el piso número cuatro donde únicamente estaba el minúsculo apartamento de April.

No sabía muy bien qué era, pero no acababa de gustarme aquel sitio. No el apartamento en sí, sencillo pero decorado con buen gusto. Aquella zona de Park Slope tampoco era particularmente peligrosa.

Supongo que lo que no me encajaba era que ella estuviese sola en aquella planta cuarta, accediendo por aquel viejo montacargas.

No sabía cómo iba a abordar el asunto cuando April despertase, pero quería que se mudase conmigo lo antes posible. *Es una locura,* pensé. *Es perfecta, pero acabas de conocerla. No puedes pedirle que abandone su casa por esa inexplicable sensación que solo está en tu cabeza...*

Y sin embargo, sentía que ya había tomado esa decisión. Pensé también en la fiesta que había abandonado en su punto álgido. El encuentro anual —y también el más informal—con todos mis clientes.

Michelle llevaba semanas preparando aquel encuentro en la cima del Monk Belvedere. Seguro que había notado mi ausencia y probablemente tenía docenas de mensajes suyos aguardándome en mi móvil. Pero yo era especialmente escrupuloso con mis prioridades y en aquel momento, en aquella cama y en esa noche, April era lo único que me importaba.

Se agitó entre mis brazos.

Miré el despertador que reposaba sobre la mesita de noche. Eran las tres de la madrugada.

April se incorporó.

Me miró, tratando de ubicarme, de recordar todo lo que había sucedido unas horas antes. Estreché mis brazos alrededor de su cuerpo y la acerqué aún más a mí.

—No te has ido —dijo.

—April, solo me iría si me echases de aquí.

Suspiró.

—¿Quieres que me vaya? —pregunté.

Tardó un par de segundos en contestar y eso hizo que me temiese lo peor.

—No. Claro que no. Eso solo que...

—¿Qué sucede?

—No lo sé. He tenido un sueño extraño. ¿Sabes esas veces en las que duermes, te despiertas, y sabes perfectamente que estás despierta y que hay alguien observándote a los pies de la cama? Y no puedes moverte. Es horrible.

—Sí. Se trata de una parálisis del sueño.

—¿Te ha pasado alguna vez? —preguntó.

April se incorporó un poco y estudió mi rostro en la penumbra.

—Uf...Diría que no —contesté—. Y espero que no me suceda. Porque tiene pinta de ser terrorífico.

April me abrazó aún más fuerte.

—Creo que me ha pasado esta misma noche, hace solo un rato.

Le aparté el pelo del rostro.

—¿Cómo?

—Me desperté y había alguien a los pies de la cama, inmóvil. No podía moverme.

—Oh, no. Solo ha sido una pesadilla. Seguro.

—No estoy segura. Era muy real. Creo que me he despertado de verdad.

—Pero yo estoy aquí contigo. No me he movido desde que entramos. ¿Yo estaba en tu sueño, cuando supuestamente has despertado?

—Sí. Pero estabas dormido. Me abrazabas. Supongo que eso es lo que me ha tranquilizado. He cerrado los ojos de nuevo, confiando en que todo pasara.

—Y ha funcionado, espero.

—Sí.

—No te vayas —dije entonces.

Las palabras salieron solas. No tenía derecho a pronunciarlas, supongo, pero no hice nada por retenerlas.

—¿Qué? ¿Dónde?

—No te vayas de Nueva York. Quédate.

April se incorporó de nuevo, buscando mi mirada suplicante. Aprecié su gesto serio y calmado gracias a las luces del exterior, que se colaban por la única ventana del apartamento.

Habló de forma serena y pausada.

—La decisión está tomada, Noah. Las cosas aquí no funcionan como a mí me gustaría. Nunca lo han hecho. Lo que me sorprende es por qué lo he extendido más de lo que debería. Perder mi trabajo esta noche solo ha sido la guinda que...

—Si te quedas te prometo que todo se arreglará. Tendrás el trabajo de tus sueños. Y yo estaré a tu lado.

Dejó escapar una risita triste.

—Noah. Veamos, ¿cómo te digo esto? No sé muy bien por qué me propones que cambie mis planes, pero no puedo empezar nada ahora mismo. No solo por el hecho de que me voy, de que dejaré la ciudad en apenas unas semanas, sino porque tengo muchas otras que reconstruir antes de plantearme siquiera incorporar a alguien en mi vida. No hay razones para...

—Hay millones de razones, April.

Me partía, me destrozaban aquellas palabras, especialmente porque tenía la sensación de que nacían de un mar de dudas. Pero no quería influenciar en su decisión. Y desde luego, no lo iba a hacer en ese momento, tras despertar de una pesadilla, con April desnuda entre mis brazos, vulnerable y agotada.

No iba a rendirme fácilmente, pero iba a ser paciente y respetar sus tiempos. ¿Había dicho unas semanas? Debía averiguar de cuánto tiempo disponía exactamente para hacerla cambiar de idea.

Estaba haciendo mis cábalas cuando el ruido nos sobresaltó. No provenía del exterior, sino de dentro del apartamento. No era nada imaginario. No era ninguna pesadilla.

April volvió a despertarse. Su rostro alarmado me hizo darme cuenta de que aquel sonido no era normal, no era uno de los ruidos habituales de las cañerías o algo que los dos hubiésemos imaginado.

Era alguien...abriendo una puerta.

—¿Quién anda ahí? —preguntó April.

Fue en ese momento cuando me di cuenta de que algo iba terriblemente mal.

APRIL

Me puse las braguitas y una camiseta a toda velocidad. Esa camiseta siempre estaba a mano y de hecho jamás la utilizaba. La guardaba en uno de los cajones de mi mesita de noche, solo por si alguna vez volvía a casa acompañada de un hombre sexy —algo que jamás había ocurrido en todo el tiempo que llevaba en aquel apartamento— y tenía que ponerme algo en mitad de la noche para ir al baño. Siempre tan previsora. ¿Quién me iba a decir que ese hombre sería Noah Pruitt? Él se levantó enseguida. Se puso en alerta. No. No lo había soñado, de la misma manera que no había soñado que alguien me observaba a los pies de la cama hacía solo un rato. Era real, la sensación de peligro era casi tangible. Un ruido de cerradura. Alguien había abierto una puerta. O la había cerrado. Ambas opciones eran igual de terroríficas.

Y entonces fue evidente. Había alguien más dentro de mi apartamento. Alguien había abierto la puerta. Estaba abierta. Oí cómo esa persona pulsaba un botón de forma frenética. Miré a Noah, aterrorizada.

—¡Ha entrado alguien!

Noah salió corriendo detrás del intruso.

Salí al pasillo descalza. Por suerte era la única vecina de la planta cuarta. Pero Noah salió detrás del tipo tan solo vestido con sus calzoncillos.

—¡Eh, tú! ¡Espera! ¡Maldita sea! —gritó.

Quien quiera que fuese había salido corriendo escaleras abajo. Noah salió detrás, a toda velocidad, pero cuando llegó al piso inferior se dio cuenta de que el intruso ya había huido. Volvió a mi lado a toda velocidad con la respiración entrecortada.

No pude evitarlo. Era el colmo. ¿Podía pasarme algo más esa noche?

Noah me abrazó.

—Quiero que cojas una bolsa con tus cosas, April. Nos vamos. Te vienes conmigo a casa. No quiero que pases ni un segundo más aquí. Este no es un sitio seguro.

Me hundí un poco más en el hueco perfecto que había entre su cuello y su hombro. No habíamos averiguado quién era el ladrón, no habíamos logrado verle, pero en ese momento supe a ciencia cierta que no había sido una pesadilla, que esa persona se había parado junto a la cama.

Abracé con fuerza a Noah. No tenía energía para protestar, o para discutir. Sabía muy bien que tenía razón.

—La cámara —susurré.

—¿Qué cámara?

—Hay una cámara de seguridad oculta en el pasillo de la cuarta planta.

—Está bien. Mañana iremos a la comisaría y pondremos una denuncia, April. ¿Entiendes que debemos irnos, verdad?

Los ojos se me llenaron de nuevo de lágrimas.

—Nena...

—Es que me he dado cuenta de que...no tengo dónde ir.

—No digas eso. Ya he dicho que vienes conmigo. Nos vamos juntos.

—No es solo eso, Noah. Es esa sensación constante de tener que huir. Me persigue desde que llegué a la ciudad. No sé cual es ni dónde está mi destino.

—¿Vas a dejarme convencerte de que lo tienes delante de ti?

No quería reconocer que no tenía que convencerme. Que aquella maldita sombra a los pies de la cama era mi propia oscuridad, confundiéndome, aterrorizándome, haciéndome creer que no merecía el trabajo de periodista de mis sueños, o a un hombre de éxito que se interesase genuinamente por mí. Uno que no iba a permitir que me expusiera a ningún peligro.

Terminé de recoger mis cosas, lo esencial, lo que necesitaría para empezar de cero desde un lujoso ático de Manhattan.

Y nos marchamos.

Pero ese no es el final.

Es solo el principio. El principio de nuestra gran historia.

Noah me besó antes de cruzar aquella maldita puerta. Ya amanecía en muchos sentidos. Las sombras se habían resquebrajado y pisé el montacargas por penúltima vez.

Abajo nos esperaba el chófer de Noah.

Me besó de nuevo en el asiento trasero. *Hay millones de razones, April,* susurró.

EPÍLOGO

Una semana después
NOAH

Respiré hondo antes de contestar a mi abogada. En el fondo no me correspondía a mí tomar decisiones. Solo podía aconsejar a April y apoyarla. Y estar a su lado.

—Entonces, ¿están seguros de que es él? —pregunté.

Barbara Bestling, una de las mejores letradas penalistas de la ciudad, había extendido una serie de fotos sobre la mesa de la sala de reuniones contigua a mi despacho. April estaba allí conmigo. Debíamos estudiar la mejor estrategia de acusación posible.

—La policía no tiene dudas. Es Luke Scripps.

April hundió el rostro entre sus manos. Una lágrima resbaló por su mejilla.

—¿Y ya está en la calle?

Barbara se encogió de hombros. Lo cierto era que no necesitaba su respuesta. Sabía muy bien que no podían retenerlo más de setenta y dos horas sin arrancarle una confesión.

La maldita sombra que se había colado en el apartamento de April, incluso en sus pesadillas, no era otro que Luke Scripps.

—Pero esto es...un paso más allá —dijo April—. Es un delito serio.

—Es acoso. Y allanamiento de morada —dijo Barbara.

—Presentaremos cargos.

—¿Seguro?

Nunca había estado tan seguro de nada.

—Sí. De inmediato. Vamos a intentar meter a ese mal bicho entre rejas.

Barbara guardó las fotos extraídas de la cámara de seguridad del edificio de apartamentos en el que vivía April. En mi opinión no había lugar a dudas. Aquel tipo era Scripps.

Habíamos logrado que lo detuviesen dos días después de su incursión. Gracias a los testigos que vieron cómo agarraba del brazo a April en la fiesta del Monk Belvedere y a las imágenes algo borrosas de la cámara, que mostraban a un tipo de la misma altura y complexión y con el mismo traje que llevaba esa noche.

Barbara guardó toda la documentación para preparar la demanda por acoso.

—Solo quiero preveniros. No va a ser fácil. Incluso si es hallado culpable, no creo que pase mucho tiempo en la cárcel. Un año tal vez. Año y medio siendo optimistas.

April reflexionó unos segundos.

—Estoy segura de que ha habido más víctimas en Rocket News. ¿Y si conseguimos más acusaciones?

Bestling sonrió.

—Eso nos ayudaría. Mucho.

Se levantó y se despidió de nosotros.

—Tengo mucho trabajo por delante. No os desaniméis. Estamos en contacto.

Nos dejó solos, y en cuanto se fue me acerqué a April y la abracé.

No podíamos decir que nuestra relación había empezado de forma sosegada y pacífica. Todo había sido una montaña rusa. Empezando por aquel horrible descubrimiento; saber que Luke Scripps se había colado esa noche en su casa, que había estado junto a la cama en la que nos habíamos entregado el uno al otro. Solo por eso, y por su comportamiento anterior, ya estaba en mi punto de mira. Di gracias por haber ido esa noche, por haber estado a su lado. No quería ni pensar en lo que hubiese sucedido si yo no hubiese estado esa noche con April.

No pensaba reparar en gastos. Iba a conseguir que Scripps acabase entre rejas. Costase lo que costase.

Y pese a todo, cuando no hablamos de aquel tema, sentía que April recobraba la sonrisa poco a poco.

Solo llevábamos seis días viviendo juntos.

Seis días perfectos en los que los dos habíamos sentido que dimos el paso correcto.

April se desprendió con suavidad de mi abrazo, y me di cuenta de que se separaba solo para mirarme a los ojos directamente.

—Gracias, Noah. Por todo. Estoy en deuda contigo.

—No digas eso. Voy a estar contigo hasta el final y más allá, April. Porque cuando todo esto termine voy a hacer todo lo posible para que no derrames ni una sola lágrima más.

La acerqué de nuevo a mi pecho y la besé.

Sentía muchas cosas, todas buenas y todas correctas. Y solo las callaba la prudencia. Por ella, no por mí. Si por mí fuera yo ya habría abierto la ventana sellada de aquel rascacielos y lo habría gritado a los cuatro vientos.

Que April es mi obsesión y mi amor.

Que mi prioridad es cuidar de ella.

Dentro de cinco días iba a subirse a ese maldito avión.

Y se queda.

April se queda.

Ese es mi verdadero triunfo.

EPÍLOGO 2

A PRIL
Un año después

Colgué el teléfono de mi mesa en la redacción de NBC News e hice el gesto de la victoria en dirección a Beverly, mi mejor amiga en la oficina. Se acercó corriendo.

—¿Ya?

Asentí.

No podía disimular mi felicidad ni un segundo más. Me lancé a los brazos de Bev.

—Culpable en los cuatro cargos que se presentaron. Nuestra abogada me ha asegurado que Scripps pasará un largo tiempo a la sombra.

—¡Increíble! Felicidades, cariño. ¿Sabes lo que significa esto, no?

Lo sabía. Lo sabía muy bien. Para empezar, que aquel sujeto no seguiría arruinando los sueños de chicas jóvenes, tal y como había intentado hacer conmigo.

—¿Cuál ha sido la condena?

—No, no, aún no es segura. De momento solo tenemos la sentencia. Pero Barbara me ha dicho que no se librará de un mínimo de ocho años de cárcel.

Bev dio un saltito sobre la moqueta.

—Todo gracias a tu trabajo, April.

—Nah. No ha sido solo eso.

—Hiciste un excelente trabajo, buscando y contactando con las víctimas.

—No podría haberlo hecho sin el apoyo de Noah.

Ben, uno de los becarios de la redacción, asomó por la puerta.

—April, es mejor que te acerques al ventanal de Times Square. Ahora.

Caminé hasta las gigantescas ventanas de la planta dieciocho del edificio Sterling. Desde allí veíamos algunas de las pantallas de Times Square y a los centenares de personas que la recorrían a todas horas. Trabajaba en la redacción de NBC desde hacía seis meses, donde ya me había ganado la confianza de mis compañeros y mis superiores, gracias a dos buenos trabajos de investigación que había producido en tiempo record.

Noah era mucho más que el mejor novio del mundo. Era mi amuleto. Solo me habían pasado cosas buenas desde la noche en la que lo conocí y decidí que no subiría a ese avión. Que no me iba a rendir fácilmente. Que lograría que Scripps pagase por lo que me había hecho, a mí y a otras chicas como yo.

Me asomé al vacío perfecto de Times Square desde el ventanal.

—Mira allí —dijo Beverly.

Me fijé en la pantalla que señalaba su dedo. En ella, un vídeo de una botella de champagne descorchándose y cayendo sobre la cabeza de un tipo de espaldas. Debajo había unas gigantescas letras que se desplazaban por la pantalla.

¡Lo conseguiste!

Y después:

¿Te casarás conmigo?,

Noah.

Me llevé la mano a la boca.

No me lo podía creer.

Beverly lanzó un gritito histérico y me abrazó de nuevo.

—¡Dios mío, April! ¿Es lo que yo creo que es?

Ben se asomó a nuestro lado, con su eterna taza de café entre las manos.

Arrugó la nariz bajo sus gafas.

—Uhmm...¿Quién pide matrimonio a distancia, sin estar presente para que le puedan decir sí o no?

Oí un carraspeo a su espalda. Miré sobre mi hombro derecho y no vi nada.

No vi nada porque Noah estaba de rodillas, detrás de mí, en la oficina.

Sosteniendo un precioso anillo entre las manos.

De repente, mis compañeros nos rodeaban y yo sentía que me moría de la vergüenza y la felicidad.

Cogí sus manos y le pedí que se levantara.

—Por supuesto que sí, Noah Pruitt.

Lo abracé.

—¿Estás segura? —me susurró en el oído.

—Tengo millones de razones para decir que sí.

Docenas de rosas
Millonarios de Manhattan #2
Elsa Tablac

CAPÍTULO 1

A UDREY
Mi hermana Bridget me miraba con esa expresión suya de "ya te lo dije". Tenía razón y odiaba reconocerlo. Aquellas fiestas de ricachones, como a la que mi amiga Leah me había arrastrado la noche anterior, no me sentaban nada bien.

—Es solo que me alucina que alguien que no tome alcohol pueda tener resacas —me dijo Bridget, mientras pasaba distraídamente las hojas del catálogo de arreglos florales.

—No es exactamente una resaca —contesté—. Es solo...pesadez. Me pesa la cabeza.

—A lo mejor te pesa por tu testarudez y no por la fiesta.

Le saqué la lengua. Las visitas de Bridget a mi pequeña floristería no siempre eran en son de paz. Mi hermana es diseñadora gráfica y trabaja en casa, y además su apartamento no estaba muy lejos de mi tienda. Por tanto, no era raro que se dejase caer cuando le apetecía airearse, o cuando alguno de sus clientes la había sacado de sus casillas.

—¿Sabes qué? He estado hablando con Josh —me dijo.

Arqueé las cejas.

—¿Nuestro querido hermano mayor ha dado señales de vida? ¡Eso sí que es noticia!

Desde que Josh había empezado a salir con su última novia, una chica de origen ruso llamada Irina, estaba totalmente desaparecido.

Bridget asintió. Era ella quien solía aparecer por mi tienda para enterarse de las últimas novedades de amigos y conocidos, así que supongo que se sentía orgullosa de, por una vez, ser ella quien trajese suculentas novedades.

—Y me ha contado que George está de vuelta en Nueva York.

Mi hermana apartó el catálogo de ramos nupciales y clavó su mirada azul en mí; buscando cualquier mínima reacción. Me conocía demasiado bien, aunque no supiera todo sobre lo que pasó entre George y yo. Con el paso del tiempo aquello se convirtió en una especie de leyenda urbana y, la verdad, me resultaba gracioso que así fuera.

—George —repitió—. George Lowell.

—Ahá.

—¿No tuvisteis algo? Hace mucho tiempo. Cuando Josh y él iban a la universidad.

—Creo que eso siempre estuvo en tu imaginación, Bridget. En la tuya y en la de todos los que me lo han mencionado alguna vez.

—Si está en la imaginación de muchas personas es porque tal vez algo sí pasó...y nunca lo quisisteis contar.

—Ya. Siento decepcionar a todos y no ser la fuente de cotilleos que apreciáis. Además, ¿cuánto hace de todo eso? ¿Ocho años? ¿Siete? Ni yo misma me acuerdo.

Me giré hacia el mostrador que quedaba a mi espaldas para que mi hermana no percibiese el súbito color que había invadido mis mejillas.

Seis años y once meses, para ser exactos.

Ese era el tiempo que había pasado desde que me había quedado atrapada durante cuatro horas con George Lowell en el ascensor de los almacenes Macy's de Herald Square, cuando ambos buscábamos un regalo de cumpleaños para mi hermano. Mi hermana Bridget y Billie, una de sus mejores amigas, nos esperaron durante un buen rato en la planta baja. Bromearon durante meses respecto a lo que había pasado entre George y yo dentro de aquel ascensor; y por desgracia no se habían equivocado.

George me besó.

Y después de ese día yo me obsesioné con él.

Pasaron cosas.

Él terminaba sus estudios ese mismo año y pronto se mudó a vivir a Silicon Valley para trabajar en su carrera como programador.

No volví a saber nada de él, más que esporádicamente, cuando nuestro hermanito lo mencionaba de pasada. Aunque al parecer incluso ellos perdieron el contacto durante un tiempo, exactamente el que tardaron en poner en marcha y asentar sus respectivas carreras.

Y yo, la florista romántica e idiota, nunca había podido olvidarme del mejor amigo de mi hermano.

Y de lo único que me sentía fieramente orgullosa era de haber guardado aquel beso y aquellos sentimientos en secreto. ¿Para qué contarlo? Si nunca había pasado nada más. Nunca hubo continuidad.

Pero no iba a desaprovechar el anzuelo que me acababa de lanzar Bridget. Saber que George había regresado a Nueva York había hecho que mi corazón se acelerase de manera alocada y repentina. Por suerte esas cosas no se aprecian desde el exterior.

—Te has puesto colorada —observó mi hermana.

—Son estos nuevos gladiolos. Creo que soy alérgica.

Mi hermana levantó una ceja.

—Ya. En fin. A lo que iba...George. Se ha forrado con lo de la *app*, hermanita.

—¿Qué *app*?

Sabía demasiado bien de qué me hablaba mi hermana, pero debía seguir disimulando si no quería que las cosas volvieran a enturbiarse. Debía controlar mis nervios. *Esta ciudad es enorme. No tienes por qué encontrártelo. Cada día te cruzas con docenas de personas a las que no volverás a ver en tu vida, Audrey.*

—Aquella *app* que servía para contactar con gente de tu propio gremio en la ciudad en la que vives, ¿sabes? O algo así. Nunca me quedó muy claro, y eso que Josh me lo mencionó en varias ocasiones.

Sí. La famosa *app*. Había leído sobre ello una de las innumerables veces en las que había puesto el nombre de George Lowell en Google. Nunca dudé que triunfaría y que el resto de nosotros, simples mortales, lo contemplaríamos desde abajo.

No era solo la aplicación para móviles de la que hablaba Bridget. George había creado varias empresas de éxito en Silicon Valley y las había vendido muy bien, amasando una considerable fortuna. Según decían algunas malas lenguas, ya no necesitaba trabajar. Había adquirido varias propiedades en el estado de Nueva York y se dedicaba a la compraventa de viviendas de lujo y locales estratégicamente situados. Supongo que tenía todo el sentido haber vuelto.

Haber vuelto a casa.

George debía haber rebasado la treintena hacía muy poco —era unos cinco años mayor que mi hermana melliza Bridget y yo; de la misma edad que Josh—, y ya era millonario. Seguramente multimillonario. Ni siquiera me lo quería imaginar.

—¿Y qué va a hacer aquí? ¿Ha venido a visitar a la familia? —le pregunté a Bridget mientras trataba de domesticar el ramo de gladiolos que pasarían a buscar en apenas una hora.

—No. Negocios. Eso es lo que me dijo Josh. No sé más. Pero supongo que se va a quedar aquí.

—Sujeta aquí, por favor —le dije.

Bridget metió un dedo entre los tallos, mientras yo envolvía el ramo con una preciosa cinta de seda fucsia.

—Me pregunto si habrá vuelto solo o acompañado —dijo mi hermana.

—¿A qué te refieres?

—Creo que George nunca se casó.

Me reí. Bridget a veces es una persona de ochenta años encerrada en el cuerpo de una veinteañera.

—Dios, Bridget, lo dices como si se hubiese quedado para vestir santos. No creo que alguien como él tenga problemas para encontrar una esposa, si es que eso es lo que quiere. Además, te recuerdo que en el siglo veintiuno no es obligatorio emparejarse. De hecho hay estudios que dicen que...

—Corta el rollo, Audrey. Me atrevo a pensar que esta podría ser tu oportunidad.

—¿Mi oportunidad?

—Para cazar a un millonario.

—¿Sabes lo que yo me atrevo a pensar? Que ves demasiadas series de Netflix, Bridg.

—Vamos, hermanita. Todos sabemos que siempre le gustaste. Pero el idiota de Josh le dijo que prefería que no se acercara a su hermana pequeña. Y todo eso coincidió con esa edad rara en los que los hombres piensan que están "en construcción". Que deben labrarse un porvenir antes de sentar la cabeza.

—Ah, ya. ¿Y quiénes sois todos?

—Mamá, papá, Irina. Incluso Billie.

—¿Irina? Pero si ni siquiera la conocíamos en esa época. Además, déjame decirte que no tengo ningún interés en "cazar", ni en el dinero amasado de nadie. Me va muy bien aquí, en mi floristería. Estoy bien, gracias. ¿Sabes lo que no necesito, hermanita?

—Qué.

—Problemas. No necesito problemas. Y plantearme siquiera algo con un tipo como George Lowell, por muy amigo que sea de Josh, elevaría hasta el infinito mis cotas de estrés, justo cuando mi negocio ha empezado a funcionar.

Mi hermana paseó la mirada a su alrededor y me miró con cara de circunstancias. Llamar floristería a aquel rincón de Bowery era muy optimista pero ¡hey! estaba en ello. No hacía ni un año que había reunido el coraje y el dinero necesario para abrir mi pequeño negocio y las cosas no me iban nada mal, a pesar de que sí, allí trabajaba yo sola, con mis pobres manos agujereadas por las espinas, y no, aquello no era un local. Era un taller minúsculo y oscuro que tardaba un minuto exacto en barrer de tallos y hojas.

Pero era un primer paso.

Uno que había dado con mucho esfuerzo. Y si todo iba bien, tal vez en uno o dos años podría dar el segundo; conseguir un local más espacioso, y tal vez contratar a una ayudante.

Lo que le pasó a George Lowell, por mucho que se preparase para su éxito inesperado y fulgurante, no es la norma.

Yo soy la norma, me repetía de vez en cuando.

Cuando mi hermana se marchó esa mañana, después de traerme un café para contrarrestar todas las impertinencias que había soltado por su boquita y haber removido aquel viejo avispero del amigo de nuestro hermano; fui consciente de dos cosas. La primera, que nada de lo que me había contado, la más que probable presencia de George en la ciudad iba a cambiar nada, pues no íbamos a encontrarnos. Ni siquiera aunque George quedase con Josh, algo muy probable, nos afectaría a Bridget o a mí, pues nuestro hermano también estaba bastante desaparecido últimamente. Con toda seguridad ni nos enteraríamos si se veían.

Y dos, aunque suena a contrariedad: me moría de ganas de verlo. De comprobar si todo aquel éxito y toda esa fortuna habían cambiado algo del chico que me desnudó con la mirada en aquel ascensor de Macy's, hacía ya demasiados años.

Demasiados.

CAPÍTULO 2

GEORGE

Josh parpadeó varias veces, hasta que recordó que llevaba unas gafas de sol sobre la frente. Las deslizó sobre el puente de su nariz y encaró el tímido sol que asomaba sobre la terraza del Soho en la que habíamos quedado para tomar un café.

Mi viejo amigo Josh. Había pasado demasiado tiempo. Años. Pero sentía que en el fondo, podía seguir contando con él.

Su nueva novia, Irina, nos acababa de dejar para asistir a su clase de pilates. Me enterneció aquel gesto de Josh. Traer a nuestra cita a su imponente novia rusa. Supongo que era su manera de enseñarme que a él tampoco le iban tan mal las cosas.

Me había entusiasmado bastante saber que Irina era amiga de Amanda, la novia de Tyler Viotto; a quien acababa de vender una espectacular casa en los Hamptons. Una muy cerca de la de sus futuros suegros. Supongo que así son ese tipo de...familias. Muy unidas entre sí. Necesitan estar cerca los únicos de los otros. Pero a mí no me interesaba demasiado hablar de los Viotto, sino de la familia de mi viejo amigo Josh Jones.

Concretamente de su hermana pequeña, Audrey. Nunca lo reconocería en voz alta delante de él, al menos no en ese momentos; pero la única y verdadera razón por la que había llamado a Josh nada más bajar de aquel avión y le había comunicado que había vuelto a la ciudad era la pequeña Audrey.

Sí. Ella era *mi razón*.

En mi cabeza Audrey era aún la jovencita de diecinueve años con la que me había quedado atrapado en aquel ascensor de Macy's. Me

56

sorprendió saber que acababa de abrir su propio negocio. Una floristería.

Josh me lo contó sin mostrar demasiado interés, tal vez sorprendido porque yo recordase siquiera el nombre de su hermana pequeña. Y para colmo eran dos. Las mellizas. Audrey y Bridget.

Lo dejé caer como si no fuera relevante.

Como si no llevase horas maquinándolo.

Y la razón era muy simple. En aquel vuelo de seis horas de Los Ángeles a Nueva York había soñado con ella.

Con Audrey.

Y no era la primera vez.

Mi subconsciente había regresado a aquel ascensor. Y en ese sueño no fueron solo dos o tres horas las que estuvimos allí dentro. Fueron muchas más, casi las mismas que duró aquel vuelo privado hacia la costa este.

Josh se levantó las gafas de sol y me observó antes de contestar.

—Sí, supongo que Audrey puede echarte una mano con eso.

Saqué mi móvil del bolsillo.

—Dime el nombre de la floristería. O su dirección.

—Uhm...está en el Bowery, creo. Solo he estado una vez allí. El día que organizó una fiesta de inauguración. Nos tuvimos que ir a un bar al cabo de diez minutos, porque no se cabía allí dentro. Verás, no es exactamente un local. Es como un puesto de venta ambulante, solo que tiene una puerta y está incrustado en un edificio. Una especie de zulo con olor a savia. La verdad es que no pude entrar en ese sitio. Me daban mareos.

No me interesaban los cuentos de Josh.

Quería ver a Audrey.

Y tenía la excusa perfecta.

Tyler Viotto iba a pedir oficialmente la mano de su esposa en la casa que pronto compartirían en los Hamptons. La misma que yo le había vendido hacía solo dos días. Y Amanda, una de las hijas de Sergei Sidorov, aún no había visto la espectacular propiedad. Tyler iba a llevarla por sorpresa y después decirle que la había comprado para que viviesen en ella. O algo así. Una cosa muy italiana. Y sabiendo que Audrey era florista, se me había ocurrido que aquella casa, o al menos una de las habitaciones principales, podría estar llena de flores.

Se lo había comentado a Tyler Viotto en una breve llamada.

—Sí. Lo que sea, Lowell —me había dicho el nuevo y flamante propietario—. Me parece bien.

—Genial. Déjalo en mis manos.

Mientras Josh buscaba en su teléfono la dirección exacta del negocio de flores de Audrey, me lanzó una mirada interrogante.

—¿Qué pintas tú organizando arreglos florales, Georgie? ¿No tienes gente que se ocupe de eso?

Tenía razón. Un encargo de ese tipo no estaba precisamente en mi radio de acción.

—Es un cliente especial —contesté, sin darle mucha importancia.

—Ya. Tyler Viotto. Me han dicho que él se ocupa ahora de los negocios de su padre. Que su hermano ha dado un paso al lado.

Josh estaba dejando caer la poca información que tenía con cuentagotas, supongo que confiando en que yo completara los huecos vacíos. Pero los Viotto, y por extensión los Sidorov, la familia de la novia, no eran gente de la que yo quisiera hablar mucho.

Circulaba por Nueva York mucha información falsa sobre ambas familias, y sobre cómo manejaban los bajos fondos de la ciudad, y los no tan bajos, con total discreción y mano de hierro. Y para mí aquella era una excelente oportunidad de negocio.

—Sí, creo que el amor ha tenido algo que ver en todo eso —le dije.

—¿El amor?

—Amanda Sidorov iba a casarse con el hermano mayor de Tyler, por mandato de su padre. Y finalmente se quedó con el pequeño. Eso es todo. No sé detalles. Nunca me interesaron los cotilleos, Josh. Ya me conoces.

Me mostró en la pantalla la dirección exacta de la tienda de flores de Audrey. Hacía solo unos minutos le había pedido su número de teléfono pero, increíblemente, se había negado a dármelo. Fue muy vago al respecto. Me dijo algo como que primero debía consultarlo con ella. Resultó casi ofensivo, teniendo en cuenta que nos conocíamos desde que éramos unos críos.

Tomé nota de la dirección a toda velocidad en la aplicación de notas de mi móvil.

—Gracias —murmuré.

—¿He de preocuparme, George?

—¿Qué quieres decir?

Se reclinó en la silla. Eché un vistazo a mi alrededor. La terraza de la cafetería Perks se había llenado de gente en solo unos minutos. El momento perfecto para concluir nuestra pequeña cita y proponerle a mi viejo amigo Josh Jones un encuentro algo más nocturno.

—No lo sé, tío. Tu repentino regreso a Nueva York. Todos esos líos que te traes con los Viotto...

—No son líos, Josh. Son negocios. Negocios limpios.

De repente su gesto se ensombreció.

—Es solo que no quiero que mi hermana se meta en problemas. Audrey está muy ilusionada con sus flores y su proyecto. Le costó mucho decidirse a abrir ese rincón de arreglos florales y no sé si una clientela de ese tipo es precisamente lo que le conviene.

Oh, oh.

Me quité las gafas de sol y las dejé sobre la mesa.

—Josh, mírame bien.

Me observó impasible.

—¿Crees que yo permitiría que algo le pasara a tu hermana?

Aquella simple idea me provocaba un horrible escalofrío.

—No dramaticemos. No he dicho eso.

—Es lo que me estás dando a entender. Y tal vez el motivo por el que no has querido darme su teléfono hace un rato.

—Sinceramente, creía que ya lo tenías. Después de lo que pasó entre vosotros en aquel ascensor...

El ascensor. Aquel condenado ascensor.

—Hace mucho tiempo de eso, Josh. Sé que tu hermana está empezando con su negocio. Y que probablemente necesite clientes. Y resulta que yo tengo un cliente para ella. Uno muy bueno. Uno que organiza fiestas a menudo y, de hecho, uno que tiene una boda a la vuelta de la esquina. No estamos en los años del hampa. ¿Crees que yo mismo hubiese cerrado con él la venta de una propiedad si hubiese apreciado peligro o problemas de algún tipo?

—Mira, me dan igual los Viotto y sus tejemanejes. Solo me preocupo por mi hermana.

—Perfecto. Pues ya somos dos, Josh. Además, tu novia Irina es muy amiga de...

—Lo sé. Pero estoy tratando de apartarla de todo ese círculo, George. Irina en el fondo no tiene nada que ver con los Sidorov. Nada. Su familia es tan normal como la tuya o la mía. Amanda es solo una de sus viejas amigas del instituto. Ni siquiera había oído hablar de Tyler Viotto hasta hace bien poco.

—Lo único que puedo decirte es que yo no estoy más metido en ese círculo que tú, Josh. Solo he vendido una casa, eso es todo. Y con respecto a tu hermana...

Se rio. No parecía dispuesto a tirar la toalla.

—Es que no sé a qué viene esto —dijo—. Ni siquiera me has preguntado por ella en todos estos años.

Tenía razón. Pero también tenía mis motivos.

—Tal vez no era el momento, ni tú eras la persona indicada. Tu forma de proteger a tus hermanas... no sé, siempre fue extraña. Muy férrea. Y ahora es como si te hubieses desentendido de ellas en los últimos cinco años.

—No puedo creer lo que estoy oyendo. No tienes ni la menor idea de lo que dices.

Estaba metiendo la pata. Hasta el fondo. Pero supongo que seguía subyaciendo esa rabia enquistada por haberle prometido a Josh, hacía ya demasiados años, que no iba a intentar nada con su hermana. Lo hice. Se lo prometí. No intentaría nada mientras Audrey fuese una adolescente. Por supuesto que no iba a hacer nada, no iba a avanzar, por mucho que me doliese.

Pero ya habíamos crecido.

Ella había crecido.

No podía creer que Josh pretendiera que aquella ridícula promesa siguiese vigente.

Me levanté de la mesa. Era el momento perfecto de terminar con aquella conversación y con la deriva que estaba tomando.

—He de irme. Te prometo que te contaré más cotilleos de los Viotto si me entero de algo jugoso.

De repente su expresión cambió. El momentáneo cabreo de Josh se había evaporado.

—Por favor. Tenme al tanto. Y, George...

—Sí.

—Cuidado con Audrey, por favor.

CAPÍTULO 3

AUDREY

No lo reconocí al instante. Lo cierto es que era fácil confundir a hombres así. Nueva York está plagada de ellos, especialmente a medida que te acercas al sur de la isla de Manhattan. Lo vi de espaldas, mientras hablaba por teléfono a unos veinte metros; desde el mostrador de mi pequeña cueva de las flores.

Su espalda se había ensanchado, su porte era más elegante, pero conservaba aquel flequillo de color rubio oscuro, rebelde y descuidado.

George Lowell encaraba en ese instante mi tienda de flores, hablando distraídamente con alguien ajeno a nuestra historia, y yo no sabía si acercarme, si salir de mi refugio, de mi espacio perfectamente seguro hasta ese momento, y salir a su encuentro.

Saludarlo.

Estaba en la ciudad, era un hecho.

La información de Bridget era la correcta y no una de sus recurrentes fantasías. George estaba allí, solo que no había sido reconocible a primera vista. De entrada no me atreví a salir, pero vi que la confusión inicial se debía solo a aquel imponente traje de diseño.

¿Qué iba a hacer? ¿Iba a asomarme a la puerta de la floristería? ¿Podía, por una vez con respecto a él, actuar con naturalidad y saludarlo como si fuese solo un viejo conocido? Era capaz de todo eso, por supuesto. Incluso de permitir que viese mi humilde puesto de flores. Pero todo lo que tenía que ver con George siempre me había costado horrores, principalmente porque intuía que cualquier cosa que pasara entre nosotros iba a estar sujeta a escrutinio por parte de mi familia, y especialmente por parte de mi hermano mayor.

Deja de fantasear, Audrey. Una firme voz en mi interior resonó con fuerza. Supongo que crecer implica también actuar con madurez. Pero había algo más en aquel nuevo encuentro. Esa diferencia abismal entre nosotros, ese pedestal en el que se erguía George, con su traje carísimo, el coche que probablemente lo vendría a buscar con solo silbar, o el lujoso apartamento con vistas formidables del que sin duda disfrutaría en pleno corazón de la ciudad.

Me vi pequeña, metida en aquella oscura cueva de la que emanaba un olor a vegetación apabullante.

Qué demonios, Audrey. Salúdalo antes de que desaparezca de nuevo de tu vida. Acaba con esto de una vez.

Y en el momento en que yo me disponía a salir de mi madriguera él entraba en ella, y deseé que me tragase la tierra en cuanto fui consciente de que jamás había olvidado aquel beso en el ascensor de Macy's, que estábamos relativamente cerca de allí y que las dimensiones de mi pequeño negocio no distaban mucho de aquel habitáculo.

—Audrey —me dijo.

Sonrió. Y me desarmó como si hubiesen pasado minutos en vez de años.

Se acordaba de mí. Sabía perfectamente quién era. Y fue como si en un instante olvidase qué iba a decirme, porque se quedó contemplando mi aura con la misma sonrisa de siempre.

Aquello era un error, un gran error, sobre todo porque no iba a poder pasar página de nuevo. Pero lo que me dijo en cuanto articuló sus palabras me dejó aún más petrificada, y deseé estar detrás del mostrador otra vez, podando tallos y ordenando ramilletes de margaritas.

—He venido a verte, Audrey. ¿Te acuerdas de mí?

—Josh. Esto sí que no lo esperaba.

Se inclinó sobre el mostrador y me abrazó por unos instantes. Era un contacto cordial, educado. Dos viejos amigos que se reencuentran después de muchos años y a los que no les ha ido del todo mal en la vida.

Parecía algo nervioso. ¿O solo me lo parecía a mí?

Me miró fijamente antes de seguir hablando. Después miró alrededor.

—Tu hermano Josh me ha contado que tienes tu propio negocio. Felicidades.

—Acabo de empezar...No tengo mucho espacio, como verás. Pero por suerte trabajo con un producto perecedero, y tiene que salir de aquí rápido.

Giró sobre sí mismo. No pude saber si estaba juzgando lo que veía o con su mente de rico empresario buscaba posibilidades, resquicios por los que hacerlo crecer. O cómo se manejaría él en semejante cueva.

—¿A las flores no les vendría bien un poco más de luz?

Sonreí. Ese era uno de mis grandes caballos de batalla. Se acercó al ramo de petunias que había terminado hacía solo un rato.

—Antes de que pasen a buscarlas suelo sacarlas un rato a la puerta. Así se revitalizan. De todas formas me organizo muy bien con los encargos. Los ramos están prácticamente recién hechos cuando mis clientes se los llevan.

—Eso no lo dudo.

—El qué.

—Que te organizas muy bien.

Miré hacia abajo. Odiaba esa sensación. Me sentía pequeña al lado de un magnate como él. Nunca había tenido fantasías de grandeza, de acumular millones. Y desde luego no lo iba a conseguir haciendo lo que hacía. Yo solo quería hacer ramos de flores y trabajar para mí misma. Y sin embargo notaba que George era alguien que siempre proyectaba grandes cosas, que te hacía querer mirar mucho más lejos.

—Te veo genial, Audrey —dijo finalmente—. Te va a ir muy bien. Lo sé. No todo el mundo se lanza a abrir su propio negocio, a perseguir su sueño de una vez por todas, así que ya estás a kilómetros de distancia del resto. Vas muy por delante.

Carraspeé. No podía saber si George estaba siendo educado y cortés, o si lo pensaba realmente. Quise creer que era lo segundo.

64

—Entonces, ¿qué te trae a Nueva York? —pregunté.

—Trabajo. Puede decirse que ahora vivo aquí.

—¿Desde hace mucho?

—Llegué hace cuatro días. Audrey...en realidad he venido porque quería proponerte algo. No sé si últimamente has hablado con Josh.

—¿Josh? No. Anda un poco perdido desde hace unos meses.

—Ya. Yo sí. Lo he visto, de hecho. Y le pedí tu número de teléfono. Pero no quiso dármelo.

Casi me dio un síncope en cuanto oí eso. ¿Cómo? ¡Maldito Josh!

—¿Y eso?

—Lo que quiero decir es que pensó que lo más adecuado era preguntarte a ti primero. Es decir, si le dabas permiso para dármelo.

—Pues me temo que no lo ha hecho.

—Ya. Lo sé. Da igual, de todas formas. Al menos me dijo dónde podría encontrarte durante el día.

—Qué considerado.

—Lo habría averiguado de todas formas; aunque él no me lo hubiese dicho.

Me miró fijamente, mientras apoyaba las manos en el mostrador de madera pintada. Bajé la mirada hacia sus manos y las observé. No eran las manos que esperaba, las de alguien que solo teclea de vez en cuando en su ordenador portátil. Se veían rugosas, acostumbradas a materiales duros. Recordé que a George le gustaba pasar tiempo con su tío Duncan en su carpintería cuando era un adolescente. Siempre había dicho que le gustaba trabajar la madera, fabricar muebles. ¿Seguiría haciéndolo?

—He venido porque necesito un encargo floral. Y he pensado que tal vez tú podrías ocuparte de eso.

Odio reconocerlo, pero se me cayó el alma a los pies. Aquel no era un encuentro casual, fruto del destino. Por supuesto que George necesitaba algo. Y podría haber pensado que aquello era genial, que necesitaba flores para uno de sus eventos, o para una de sus fastuosas transacciones y que había pensado en echar un cable a la hermana de uno de sus mejores amigos.

Sí, eso era exactamente lo que estaba sucediendo y me venía muy bien saberlo. George estaba allí por negocios. Como no podía ser menos.

Y yo, por supuesto, no iba a rechazarlo. Estaba empezando. Necesitaba clientes desesperadamente. Aunque no estuviese dispuesta a reconocerlo ante él de forma clara.

—¿Qué necesitas exactamente?

—Flores. Montones de ellas. Para llenar una habitación.

Sacó un teléfono móvil de ultimísima generación de su bolsillo y me mostró la imagen de una preciosa mansión.

—Hace unas semanas vendí esta casa de los Hamptons a un empresario de Nueva York. Va a celebrar una fiesta de compromiso con la que pronto será su esposa. Ella aún no conoce la casa y nos gustaría que una de las habitaciones estuviese convenientemente adornada con flores.

—¿Qué tipo de flores?

Me miró cómo si la pregunta no tuviese nada que ver con nuestra conversación.

—Uhm. Buena pregunta.

—Sería de mucha ayuda saber qué tipo de flores son las favoritas de ella.

—¿No puede haber una mezcla variada?

Me reí.

—Creo que en este caso sería mucho más impactante centrarnos en su favorita.

—¿Cuál suele ser la favorita?

—Diría que las rosas... pero convendría asegurarnos.

George pareció pensativo durante unos instantes.

—Tal vez podamos averiguarlo. Ella es amiga de Irina, la novia de Josh.

—¿De Irina?

—Es Amanda Sidorov.

—¡Oh! Entonces él...

—El afortunado novio es Tyler Viotto.

Cogí uno de los catálogos de arreglos y pasé algunas de las páginas plastificadas, buscando ejemplos de arreglos florales completos que ocupasen toda una estancia. A decir verdad, yo no era la persona adecuada para un encargo de esas dimensiones. Y más al escuchar aquellos dos apellidos. Sidorov y Viotto.

Los bajos fondos de la ciudad.

La mafia.

—Nunca he hecho un arreglo floral para una habitación en una vivienda de alto *standing*, George. No sé si yo estoy capacitada para...

—Lo harás genial, Audrey. Son flores. Es lo tuyo.

Señaló a su alrededor.

Respiré hondo. Podía hacerlo, por supuesto.

—¿Para cuándo lo necesitas?

—En tres días. Si me dices que sí te enviaré la dirección exacta y yo mismo te acompañaré en el sitio. Dejaremos todo preparado para cuando llegue la pareja y, si te parece, podríamos cenar algo después.

Lo miré sin poder creer lo que estaba escuchando. Tenía preguntas, muchas preguntas, pero George era un ejecutor. Él hacía y luego resolvía los problemas que se planteasen por el camino. Y no le había ido mal pero, ¿cenar juntos? ¿Se había convertido en uno de esos hombres que mezcla negocios y...placer?

CAPÍTULO 4

GEORGE
Me asomé al balcón de la *suite* principal de la formidable casa de la que acababa de desprenderme. Hacía tres días de mi encuentro con Audrey y cada uno de esos minutos había sido casi doloroso. Ansiaba verla de nuevo. ¿Por qué había complicado las cosas? ¿Por qué no la había invitado a salir esa misma noche?

Ojalá quedarme atrapado de nuevo en un ascensor con ella, pensaba.

Fuera oía el ruido de los operarios, quienes trabajaban a destajo para tener lista la reforma integral que Tyler nos había pedido. Solo había visto a Viotto en una ocasión: cuando nos reunimos personalmente en la propiedad, solo para conocernos. Mi equipo ya se había encargado de enseñarle a fondo la casa y resolver todas sus dudas.

Por supuesto que no iba a permitir que Audrey acudiese sola a aquella casa. Era obvio que ella sabía muy bien quiénes eran nuestros clientes. No es algo que pase desapercibido en la zona de Nueva York en la que siempre hemos vivido. De hecho no habría hecho falta prometerle nada a Josh. Iba a estar allí con ella sí o sí.

La misma Audrey había hablado discretamente con Irina, la amiga de Amanda, para averiguar exactamente el tipo de flor que más le encajaba.

Rosas, sin ninguna duda.

Debían de ser rosas. Docenas de ellas.

Y ya estaban en los aledaños del que sería el dormitorio principal de la pareja. La única de las habitaciones que aún permanecía casi vacía, sin apenas muebles; pues muy probablemente sería la misma Amanda Sidorov la encargada de elegirlos.

En ese momento mi teléfono sonó. Eché un vistazo a la pantalla. Era Tyler Viotto.

—Lowell —dijo, a modo de saludo—. ¿Todo bien? Necesito saber si todo estará listo para esta noche. Amanda me está haciendo preguntas muy específicas sobre nuestros planes para cenar.

Consulté mi reloj.

Eran las doce del mediodía.

—Estará todo listo —le dije —. Mi equipo y yo nos iremos sobre las seis. Y creo que a esa hora exactamente llegará la gente del catering, Vision Food.

—Perfecto. Esto...Lowell...No sabes cómo aprecio que te ocupes de esto personalmente. Eso significa mucho para mí. Quiero que todo salga perfecto y que Amanda esté contenta.

—No hay de qué, Tyler.

Colgué el teléfono. Había oído pasos a mi espalda, y aquel lugar ya no era un espacio cien por cien seguro si pertenecía al ámbito de los Viotto. Ese y solo ese era el único motivo por el que me ocupaba "de ello" personalmente. Para acompañar a Audrey y asegurarme de que recibiría una buena suma de dinero por sus flores.

Las rosas ya estaban en la casa. Viotto no había reparado en gastos. Allí no había docenas, sino más bien centenares, encargadas directamente por Audrey a su proveedor. Me constaba que aquel era un proyecto muy especial para ella y que tenía que salir bien a toda costa, ya que aquel día había tenido que cerrar su tienda para dedicarse ese día a tiempo completo a la decoración de los Viotto. No había opción de que nadie la sustituyese. En cuanto me di cuenta de ese pequeño detalle, tomé nota mental de que debía revisar sus números, si ella me lo permitía, y ver cómo podía ayudarla en su negocio.

Las flores ya estaban esperándola en el pasillo que daba acceso al futuro dormitorio, donde yo había entrado hacía solo unos minutos.

Me giré para contemplar a Audrey.

Dios mío, estaba preciosa. Era como si entrase en su propia casa. En aquel momento, sobre aquel suelo de madera oscura, supe que la hermana de mi mejor amigo se merecía pasear todos los días sobre unos suelos como aquellos.

Como mínimo.

Se le iluminó el rostro al verme.

Me sentía fatal. Siempre me sentí como un cobarde después de marcharme a Los Ángeles, poco después de besarla en aquel bendito ascensor, sin dejarle bien claro lo que sentía por ella. Pero, ¿qué podía hacer?

Sencillamente, no era el momento. Yo tenía muy claro que tenía que irme para desarrollar mi proyecto tecnológico, y que tardaría años en conseguir lo que quería.

Y ella era apenas una cría. Hacía poco que había alcanzado la mayoría de edad.

Audrey me miró de arriba a abajo. Aunque a mis ojos fuese una criatura perfecta era una chica opaca, misteriosa, y aquello me inquietaba. No era fácil saber qué pasaba por su cabeza. Y no era algo a lo que estuviese acostumbrado. Era bueno leyendo a la gente, buceando por los sustratos profundos de las mentes. Siempre pensé que aquello me había ayudado mucho a labrarme mi carrera, a acertar en el mundo de los negocios.

—No esperaba que estuvieses aquí —dijo.

Me acerqué a ella y la abracé de forma algo superficial. Desde luego no como me gustaría hacerlo en realidad, estrechándola con más fuerza entre mis brazos, atrapándola para siempre.

—Como ya te conté, Viotto es un cliente especial. Quiero cuidarlo.

Estudió mi rostro con atención.

—¿Sabes una cosa? He dudado si debía o no aceptar este encargo.

Miré hacia el suelo. Era perfectamente lógico.

—Pensé que te iría bien un nuevo cliente.

—Sí, sí. Y te estoy muy agradecida, George. Es solo que...ya sabes. Los Viotto son...

—No tienes por qué preocuparte de nada. Solo haz tu trabajo y después nos marcharemos.

Respiró hondo, tal vez tratando de tranquilizarse.

—Sí, he visto que han llegado todas las rosas.

—Las he visto —dije—. Son espectaculares.

—Le pedí las mejores que tuviese a mi proveedor.

Audrey traía consigo una enorme bolsa de tela negra donde guardaba un cuaderno en el que dibujaba sus diseños de arreglos florales y los materiales con los que solía trabajar: tijeras de podar, cuerdas y lazos, papel de diversos tipos.

Enseguida su puso manos a la obra. Y yo salí de nuevo al balcón del dormitorio y la dejé trabajar. Desde allí no me perdería el avance de los últimos arreglos que llevaban a cabo los operarios en el jardín; y si daba la espalda al mundo exterior podía ver cómo Audrey se aplicaba con las rosas.

El olor era casi mareante pero era un espectáculo ver cómo se manejaba entre las flores, cómo movía sus dedos entre los tallos, con suma delicadeza, sin permitir que ni una sola de aquellas amenazantes espinas la lastimara.

Audrey trabajó de forma incansable durante dos horas. Mientras, el jardín se iba quedando vacío. Los operarios habían terminado los últimos trabajos, dejando a punto el sistema de seguridad de la casa —imprescindible para Tyler Viotto— y adecuando el acceso al garaje para varios vehículos.

Audrey era consciente de mi presencia. De vez en cuando apartaba la mirada de las rosas y se aseguraba de que yo seguía ahí, atento a sus movimientos.

—No acostumbro a trabajar con público —me dijo, sonriente.

Observé el reguero de rosas y pétalos que formaban un diseño armonioso.

—Es espectacular —murmuré—. ¿Cuánto tiempo más crees que necesitas?

—Una hora y media más o menos—me dijo, pensativa—. Tal vez una hora.

—He pedido algo de comida. Nos espera abajo, en la cocina.

—Gracias, George. No tenías que molestarte.

—Es la hora del almuerzo. ¿Creías que iba a dejarte sin comer?

Se levantó del suelo y bajamos la escalera de la nueva residencia del pequeño de los Viotto.

Había pedido comida para llevar en Billy's, un sitio de Wainscott que me habían recomendado. Audrey se lavaba las manos en el fregadero mientras echaba un vistazo a su alrededor.

—No estaba seguro de qué te gustaba —le dije—. Así que he pedido un poco de todo. Pastel de carne, *risotto* y patatas asadas a la pimienta. Y una tarta de queso. Me han dicho que en ese sitio de Wainscott hacen las mejores tartas de queso de Long Island.

—Guau, George. Espectacular. Es demasiada comida, me temo.

Lo dispuse todo encima de la isla de mármol que presidía la cocina.

—Recuerdo que te encantaban las hamburguesas —dije.

Audrey se rio.

—Me siguen encantando.

—Debería haberlo pensado.

Comimos mientras conversábamos sobre temas insustanciales. Sus hermanos, los míos, las sobradas diferencias entre Los Ángeles y Nueva York, cómo en el fondo nos disgustaba el tipo de gente que se mudaba a los suburbios o a sitios como los Hamptons.

Nos reímos.

Y en un momento en que nuestras miradas se cruzaron esas risas se congelaron.

No puedo más, pensé. *No aguanto ni un minuto más sin besarla.*

Me levanté del taburete alto junto a aquella sofisticada mesa y la rodeé. Necesitaba estar más cerca de Audrey para todo lo que le quería decir. Y era consciente de que existía la posibilidad de que después de aquello la llevaría de regreso a casa, a Manhattan, y tal vez solo me comunicaría con ella para proponerle nuevos arreglos florales.

Solo si ella me rechazaba, claro está.

Me senté en el taburete que quedaba a su lado. Noté enseguida cómo su respiración se aceleraba.

—Nunca hablamos de aquello, Audrey.

—De qué.

—De lo que sucedió en el ascensor de Macy's. Y de lo que habría pasado si nos hubiesen dejado allí unas horas más.

—George, yo...Hace mucho tiempo de eso. Y me alegra mucho reencontrarte de nuevo, años después de lo del ascensor...

Era como si le costase decir en voz alta esa palabra en mi presencia.

Ascensor.

—Nunca dejé de pensar en ese día, Audrey. En ti.

Levantó la mirada y la clavó en mis pobres ojos. Pensé por un momento que no resistiría, que me derretiría allí mismo, y que había sido una gran idea soltarle esa bomba en el momento del postre. De lo contrario no habría probado bocado en todo el día.

—Debo reconocer que yo lo he recordado...de vez en cuando —confesó.

Me reí. Pensé que tal vez así ella se relajaría, que su cuello se destensaría y me permitiría hacer lo que tanto deseaba.

Y en el fondo no era besarla.

No *solo* besarla, no.

Necesitaba responder a aquella sensación que me estaba recorriendo el cuerpo, y que no era otra que puro anhelo.

Me acerqué a sus labios, y estudié cualquier mínima reacción, cualquier posible distancia que se abriera entre nosotros.

No la hubo, al contrario.

Audrey se acercó a mis labios y me besó.

Y de repente estábamos enredados, en la cocina de un mafioso. En la casa vacía de Tyler Viotto, horas antes de su incontestable llegada.

CAPÍTULO 5

AUDREY

Temblé bajo sus manos, sobre todo porque sabía muy bien que estábamos solos en el interior de aquella mansión desnuda, tan desnuda como lo iba a estar yo si no conseguía aclarar mis pensamientos a toda velocidad y poner el freno a todo lo que George me hacía sentir. Eran sensaciones físicas que se arraigaban ya en lo más profundo de mi cuerpo, y también entre mis piernas. El tenedor se precipitó sobre el plato donde reposaba el trozo de tarta que no había terminado.

Me entregué a su beso, y fue exactamente como aquella vez, como si George y yo nos hubiésemos caído en un agujero espacio-temporal y hubiéramos aterrizado en aquel ascensor del centro comercial.

Se apartó de mí un instante.

—Audrey. En realidad no he venido a Nueva York por negocios— me dijo, en el instante en que nuestros labios se separaron, solo para tomar aire—. Te decía que nunca lo olvidé, y cuando digo que nunca lo olvidé quiero decir que estoy aquí para retomar las cosas en el punto exacto en el que las dejamos. Sé que han pasado años, pero tenía que construir mi futuro. Construir algo digno de ti, de una mujer como tú.

Me dejaba sin palabras.

Solo esperaba que mis besos repentinos y hambrientos hablasen por mí, que le dejasen muy claro que yo tampoco había podido olvidarme de aquella vez en la que nos quedamos solos en un habitáculo.

Y tenía toda la razón. Los dos deseábamos retomarlo en el punto exacto en el que lo habíamos dejado.

George no podía contenerse y yo tampoco. Allí, solos en aquella casa perfecta y vacía, pero en la que alguien podría sorprendernos si no reaccionábamos rápido. Y él, por descontado, no iba a perder el tiempo.

Deslizó ambas manos entre mis muslos y debajo de mi falda hasta que descubrió que mis nalgas estaban al descubierto. No sé si era cien por cien casual, pero ese día usaba un tanga, o más bien la mínima expresión de un tanga.

George sonrió maliciosamente al palpar mi culo.

—Nunca has podido desprenderte de esa dulzura que te caracteriza, Audrey. Pero creo que en el fondo eres una chica bastante traviesa, ¿no?

—Tal vez.

Él me amasó con sus manos y gimió y... maldita sea, era el sonido más sexy que había escuchado en siglos. Me sentía más viva que nunca, sabiendo que yo era la culpable de que George estuviese en ese estado de excitación.

—¿Qué más te falta, además de este trozo de tela? —preguntó con la voz ronca, mientras tocaba mis nalgas.

—Usa tus manos y descúbrelo— me atreví a decirle.

George sacó la mano de debajo de mi falda, jugueteando con el borde de mi camiseta. Presionó toda su palma contra mi estómago y la deslizó hacia arriba. Me incliné hacia adelante para darle acceso a lo que tanto ansiaba. Empezó a juguetear mis pechos por encima de la tela.

—Joder, Audrey. Tus tetas son increíbles.

Era de *esos*. George era uno de esos hombres que dice cosas sucias durante el sexo. ¿Podía ser más perfecto?

Había pasado mucho tiempo desde que había tenido cierta intimidad con alguien. Y había sido alguien insustancial, diría. Alguien que no había significado nada porque nunca había podido apartar de mi mente al mejor amigo de mi hermano.

George había estado anclado a mis pensamientos desde que era una adolescente. No podía creer que aquello estuviese pasando allí, en una pausa de trabajo.

Me consideraba demasiado tímida para dar un paso más, para darle pleno acceso a mi cuerpo y mi intimidad. Pero maldita sea, George me hacía sentir como una diosa del sexo. Me quitó la camiseta por la cabeza y me inclinó sobre la fantástica mesa elevada que presidía la cocina de los Viotto.

Si no fuese por la excitación del momento, posiblemente me daría un ataque de risa al pensar que estábamos a punto de "estrenar" la mansión soñada de Tyler y Amanda, la amante de las rosas. Desde allí, desde aquella luminosa cocina, podía apreciar el asfixiante y armonioso aroma de las flores que descendía por la escalera y que ya decoraban el que sería el dormitorio principal de la casa.

George se colocó detrás de mí y agarró mis pechos. Estaba claro lo que deseaba, lo que llevaba mucho tiempo planeando. Iba a hacérmelo allí mismo. No podía contenerse.

Aquel regreso, aquel encargo. Las flores. ¿Desde cuándo sabría que yo me dedicaba a hacer arreglos florales?

Sujetó mis pechos con fuerza, me giró y se llevó uno a la boca. Sus dientes se anclaron a mi pezón, pero no lo mordió. No en ese momento. Solo jugueteó con él, torturándome un poco más, haciendo que me humedeciese sin remedio.

No tenía ninguna escapatoria y había sido una ilusa pensando que podía reconducir la situación, que podía tal vez detenerlo, llevarlo a una habitación más discreta, aunque fuera.

—Me vas a matar de deseo, Audrey —dijo.

Se metió el otro pezón en la boca y me provocó con su lengua dura.

Serpenteé con mis caderas, presionando la tela de mi falda, del todo empapada, contra su bulto, y me moví lentamente una vez. Y entonces sí, George mordió mi pezón. Lancé un grito.

—Joder —susurró contra mi pecho.

Jadeé, casi en estado de shock por el dolor repentino y punzante, pero solo pasó una fracción de segundo hasta que una oleada de placer reemplazó aquella confusa sensación. Nunca pensé que yo era el tipo de chica a la que le gustarían las cosas algo rudas, duras incluso, pero sentía que George era uno de esos hombres que podía llevarme hasta mi límite.

No. No me había equivocado. Y este chico me tenía en sus manos, estaba deseándolo tanto como él a mí. Me deslicé sobre su dureza con más intensidad aún. Empecé a frotarme contra su cuerpo. A perseguir mi orgasmo con furia y con cierta ansiedad.

—Oh, dios. Quítate ya esa falda —me ordenó George.

Mi núcleo se estremeció ante su tono autoritario. Fui incapaz de hacer otra cosa que obedecer.

—Y ahora trae ese coño hasta mi boca —siguió—. Necesito probarte, Audrey. Quiero *devorarte*.

Con las rodillas tambaleantes, me deslicé sobre su cuerpo. Sus manos ásperas se sujetaban a mis caderas y me tiraban hacia su boca ansiosa. No hubo pausa ni advertencia. Un segundo después estaba flotando sobre él, y al siguiente toda su boca está fusionada con mi coño.

Me mordí el labio inferior, ahogando el grito que pretendía escapar. George usó sus labios, lengua y dientes de la manera más salvajemente maravillosa. No podía procesar todas las sensaciones porque todo estaba pasando muy rápido. Tan intensamente.

—Date la vuelta de nuevo, cariño —me dijo—. Creo que ya estás preparada para mí.

Entendí que no podíamos extender aquello todo el tiempo que nos gustaría. No estábamos en nuestra casa. Aquello era irracional y arriesgado. Algo de lo que podría arrepentirme el resto de vida, no por entregarme a George de aquella manera tan salvaje, sino porque alguien podía sorprendernos y yo pasaría la mayor vergüenza de mi vida.

Ya no vi nada desde mi posición, de espaldas a George, sometida a su férreo abrazo y a su olor testosterónico. Pasó la mano por mi clítoris, estimulándolo, preparándolo, una y otra vez.

Mi cuerpo actuaba solo. Eché la cadera hacia atrás y me preparé para recibir sus deliciosas embestidas.

No sé cuánto tiempo pasó exactamente. Fueron dos minutos o tal vez veinte.

George me penetró, sujetando mis caderas con firmeza. Empujó una y otra vez mientras yo me retorcía. Nuestros cuerpos chocaban, dejando escapar un sonido delicioso, un palmoteo acompasado. George me follaba con fuerza, impidiéndome bajar el ritmo ni por un segundo.

Cuando sentimos que estábamos a punto, él estiró el brazo y tomó mi mandíbula con suavidad. Me giré por encima de mi hombro derecho para contemplar su expresión ida, de entrega absoluta a su deseo.

—Mantén esos ojos bien abiertos, Audrey— exigió—. Quiero que me mires cuando te corras.

Fue demasiado. No pude más. Exploté un segundo después de sus palabras, luchando para mantener su mirada fija en la mía. Joder, fue muy sexy. George se contuvo tanto como pudo, pero con las paredes de mi coño convulsionando alrededor de su sexo, no pudo aguantar mucho más.

Se descargó con intensidad entre mis muslos, ahogando sus gemidos en mi espalda, abrazándome. Dispuesto a no dejarme ir nunca más.

George había vuelto, sí.

Con la plena intención de retomar las cosas en el mismo punto en el que las habíamos dejado.

Y eso era exactamente lo que habíamos hecho.

Aunque estuviésemos en la casa de un mafioso.

CAPÍTULO 6

AUDREY
Subí a la planta superior de la casa para continuar con mi trabajo después de aquella turbadora pausa para almorzar.

No estaba en mis cabales, esa era la verdad, y tenía serias dificultades para concentrarme. Menos mal que había pasado un par de horas la noche anterior diseñando el arreglo florar del dormitorio de los Viotto, de lo contrario me habría costado el doble de tiempo terminarlo.

George se quedó abajo. Me dijo que me esperaba allí, y que después me llevaría de vuelta a casa y nos iríamos a cenar; tal y como había dicho cuando me consiguió este encargo.

Sentí un enorme alivio al confirmar que aquel plan seguía en pie, ya que eso significaba cierta continuidad. No era simplemente que habíamos "resuelto" lo que había pendiente entre nosotros. No. George parecía dispuesto a explorar las posibilidades de algo más. Él lo tenía muy claro: una relación. Tal y como tenía que ser. Exactamente lo que "estaba predestinado".

Esas eran las palabras que él había usado mientras me envolvía con sus brazos después de nuestro brutal orgasmo. Pero yo quería aferrarme a la prudencia. Dejarme llevar sí, pero no por esos arrebatos que podrían comprometer mi profesionalidad, por muy solos que estuviésemos en aquella casa. Que no era la nuestra, por cierto.

Trabajé durante una hora más, terminando de colocar todas las rosas en el dormitorio. Adornaban el balcón principal, el marco de la puerta y puntos claves del precioso suelo de madera. También coloqué algunas velas que alguien del personal de los Viotto debería encender unos minutos antes de que Tyler llevase a su prometida a la parte superior de la casa.

Cuando consideré que mi trabajo allí había terminado, me levanté y me alejé hasta el lado opuesto del dormitorio para contemplar los arreglos y ver, desde cierta distancia, si había que hacer algún retoque. Me llevé las manos a la espalda para aliviar un punzante y repentino dolor. No podía saber si se debía a haber estado trabajando sentada en el suelo durante horas, o bien tenía que ver con lo que George y yo habíamos estado haciendo en la cocina.

Cuando se quedó abajo me dijo que tenía que atender una llamada importante que estaba planificada desde hacía algunos días; una reunión-conferencia que le llevaría unos cuarenta minutos y que, aunque había intentado posponerla, no le había sido posible.

Entonces lo vi.

Mientras aliviaba la parte baja de mi espalda con un suave masaje me fijé en un punto negro escondido entre los pétalos. Estaba en uno de los extremos de la habitación y era casi imperceptible; pero para alguien tan acostumbrada como yo a ver flores a diario enseguida saltó a la vista. Estaba escondido en una de las cadenas de rosas que había colgadas del armario. ¿Era un insecto extraño?

Me acerqué a aquella flor en concreto y la observé de cerca. Allí había un objeto minúsculo y metálico. Estaba cuidadosamente colocado en el corazón de la rosa. Apenas tenía un centímetro de diámetro. Lo extraje con cuidado y lo observé. Vi una serie de puntos minúsculos en la base del cilindro.

Intuí enseguida lo que era.

Es un micrófono, pensé.

Alguien había colocado un micro en uno de los ramos. Algo que, sin duda, debía funcionar cuando los Viotto entrasen en aquella estancia. Pero, ¿quién lo había colocado allí? Y sobre todo, ¿cuándo? Dentro de la casa solo habíamos permanecido George y yo durante buena parte de la mañana.

¿Era posible que...?

En ese instante se me cayó el alma a los pies.

¿Solo podía haber sido George, tal vez?

Nadie más había entrado en aquella habitación cuando empecé a disponer las rosas. A no ser que lo hubiesen colocado mucho antes, cuando salieron del almacén de mi proveedor, o durante el traslado. *No, no,* pensé. *Me habría dado cuenta mucho antes.* Todo sucedió en unas décimas de segundo. Cuando aún sostenía el minúsculo micrófono entre los dedos, unas manos fuertes y peludas me agarraron por la cintura. Salieron del armario que quedaba a mi espalda, empotrado en la pared.

Y me arrastraron con ellas.

Alguien a quien no pude ver me empujó dentro del armario, donde una de esas manos se deslizó desde la cintura hasta mi boca, para evitar que gritase. Eso era lo que inevitablemente habría sucedido si tuviese libertad de movimientos.

Una voz profunda y masculina susurró en mi oído:

—Quieta. No te muevas, o te arrepentirás.

Había dejado una rendija mínima abierta por la que se colaba la luz exterior.

—Shhhhhh —susurró—. Ahora vas a escucharme, y vas a estar muy atenta a lo que te diga.

Necesitaba desesperadamente girarme, ver quién me retenía de una forma tan agresiva y visceral. Huir de aquellas garras. Y tal vez, para conseguirlo, lo único que debía hacer era escuchar.

El tipo habló claro. Tenía un marcado acento neoyorquino.

—Creía que ya habías terminado con tu pequeño proyecto decorativo. No teníamos que encontrarnos... Audrey. Ha sido solo mala suerte. Y he visto cómo desenterrabas nuestro pequeño dispositivo.

El tipo hizo una pausa. Era extraño, pero no sentía miedo. Solo quería salir de allí.

—Te diré lo que vas a hacer —siguió—. Vas a dejarlo donde exactamente estaba. Tiene que funcionar a la perfección en el momento en que Viotto y la hija de Sidorov entren en esta habitación. Sabemos muy bien que esta noche discutirán algo de vital importancia...¿me has entendido? Asiente si te ha quedado claro.

Moví la cabeza, al tiempo que trataba de pensar a toda velocidad en cómo escapar de esa situación. Estaba convencida de que aquel tipo no me iba a hacer daño. No iba a cerrar sus manos sobre mis vías respiratorias y dejarme encerrada en aquel armario.

Yo no le interesaba.

No estaba allí por mí.

Lo que me preocupaba era que supiese mi nombre. *Audrey*. Lo había oído claramente.

Y si conocía el mío con toda seguridad sabía quién era George.

En ese momento lo oí. Mi nombre. George me llamaba:

—¡Audrey!

Escuché cómo daba unos pasos, entrando en el dormitorio.

—¡Audrey! Si ya está todo listo nos marchamos enseguida de vuelta a Manhattan. Tengo un coche esperándome. ¿Audrey?

Oí cómo los pasos se alejaban de nuevo en dirección al exterior, al balcón. La mano del tipo que me retenía se había desplazado desde mi cintura hacia arriba, rozando la base de mi pecho. Noté también que algo me tocaba el pie, una especie de arena que debía ser solo el serrín sobrante de la madera pulida. Había perdido mi sandalia. Levanté el talón del pie derecho para que mi captor no lo notase y contuve la respiración.

CAPÍTULO 7

GEORGE

Me hirvió la sangre. Entendí lo que estaba sucediendo en décimas de segundo, al ver el zapato de Audrey tirado en el suelo, junto con uno de los ramos de rosas, y la rendija del armario entreabierta.

Me abalancé sobre aquella puerta y la abrí de par en par. Mis manos se fueron directamente al cuello del tipo que sujetaba a Audrey, que soltó un grito de alivio al verse liberada.

Lo saqué del armario y lo golpeé con fuerza en el estómago y en la mandíbula.

—¡Sal de aquí, Audrey! —grité.

—¡George!

Y en un momento en el que el sujeto se despistó por un ruido que provenía del exterior le hice una llave y volqué mi peso sobre su espalda. Audrey salió corriendo y vi cómo se perdía escaleras abajo.

Por mi parte, me concentré en inmovilizarlo.

El tipo no era mucho más grande que yo, y por suerte estoy en excelente forma, así que conseguí que no se moviera. Creo que mi rabia era lo que me dominaba, lo que consiguió que mis manos se convirtiesen en férreos anclajes.

—Me trae sin cuidado lo que pretendes con los Viotto. Pero poner tus sucias manos encima de ella...

El intruso forcejeó, pero le fue imposible zafarse de mí.

Al cabo de un minuto, oí unos pasos que se deslizaban a toda velocidad por las escaleras que daban acceso al dormitorio principal. Era Audrey, que regresaba acompañada de dos miembros del personal de seguridad de Tyler Viotto. Habían permanecido tranquilos toda la mañana, junto a la verja de la entrada, observando el devenir de las reformas.

A toda prisa se arrodillaron junto a mí y aliviaron mi carga.

—Este cabrón estaba escondido en el armario —dije entre dientes.

—¡Instaló un micrófono en uno de los ramos de rosas! —exclamó Audrey.

—Nosotros nos ocupamos de él—dijo uno de los hombres de Tyler, con un marcado acento italiano.

—¿Habéis terminado con las flores? —preguntó el otro.

—Sí —respondió Audrey.

—Bien. A partir de ahora es cosa nuestra. Os hemos de pedir que abandonéis la casa y que habléis con Tyler en cuanto os sea posible. Hemos avisado a algunos miembros de la familia y están al llegar. Hemos de asegurarnos de que todo esté despejado para cuando el jefe esté aquí con su prometida.

Asentí.

Habíamos entrado en un terreno pantanoso, de consecuencias imprevisibles. Pero lo peor de todo es que Audrey se había visto envuelta en todo aquello. No me lo perdonaría nunca.

Me levanté, permitiendo que los dos secuaces de Viotto se ocupasen del intruso. Continuaron inmovilizándolo sin mucho esfuerzo. No tenía demasiada idea de cómo operaba la mafia, pero diría que era extraño que aquel cabrón hubiese actuado solo. Tenía que sacar a Audrey de allí inmediatamente. No era un lugar seguro.

La cogí de la mano y bajamos la escalera a toda prisa, en dirección a la puerta principal.

Busqué mi móvil en mi bolsillo y envié un mensaje de voz a Robert, mi chófer, para que estuviese listo para recogernos de inmediato. Me respondió en dos segundos: *Estaré en la puerta principal en dos minutos.*

En realidad fue un minuto y medio, pero se me hizo eterno. Mi estado de alerta y paranoia se había disparado hasta límites insospechados. Nos metimos en la parte trasera del Mercedes y le pedí a Robert que nos sacara de allí, en dirección a Manhattan. Probablemente tardaríamos unas dos horas en llegar.

Solo cuando perdimos de vista la casa respiré tranquilo.

Abracé a Audrey.

La besé en la frente, en los labios, en el pelo. Aguardé por si aparecía alguna lágrima en su rostro, porque ansiaba cuidarla, consolarla, recompensarla y prometerle que todo estaría bien. Pero la lágrima no apareció. Mi amor se mantuvo tranquila.

—Lo siento. Lo siento tantísimo, Audrey. Siento haberte metido en esto. Es culpa mía.

Pensé en las palabras de Josh, de su hermano. En cómo me advirtió y cómo me hizo prometerle que cuidaría de ella, que no correría ningún peligro si estaba a mi lado por mucho que estuviésemos en el territorio de los Viotto. Había fallado en eso. Y si Josh se enteraba haría todo lo posible por apartarme de ella.

Pero Audrey estaba serena. Me acogió entre sus brazos como si solo yo hubiese sufrido el ataque.

¿De qué estaba hecha aquella mujer?

—Misión cumplida. Flores colocadas, casa vendida —me dijo—. ¿No? ¿Qué te parece si nos olvidamos de lo sucedido y lo dejamos en manos de los Viotto, tal y como nos han sugerido?

Asentí.

—¿Me perdonas? —insistí.

—No tengo nada qué perdonarte, George. No eres el responsable de lo sucedido. Mi vida es una montaña rusa increíble desde que has vuelto a ella.

—Aún así, esto no tendría que haber pasado. Prometí quedarme a tu lado en todo momento. Y me fui a atender esa maldita llamada.

Audrey me miró.

—¿Prometiste? ¿A quién?

—A Josh.

Respiró hondo.

—Necesito que apartes a mi hermano de todo esto. De nosotros. Nunca sabrá nada de lo sucedido en casa de los Viotto esta tarde. Al menos no por mi parte. Tengo una pregunta para ti, George.

Cogí sus manos y besé sus dedos, uno a uno.

—Dime.

—Esa cena de esta noche, ¿sigue en pie?

—¿Tú qué crees?

Dejé que mis labios le contestaran, que desactivasen cada una de sus dudas.

He vuelto a la ciudad.

Con turbulencias, pero con mi objetivo cumplido. Observé el perfil de Manhattan a través de la ventana, recortando el rostro de Audrey. Tomé su mandíbula entre mis dedos y la besé con delicadeza. Iba a asegurarme cada día de mi vida de que mi futura esposa olvidaría aquel dormitorio vacío y maldito que ella había embellecido con sus rosas, pero sobre todo con su presencia.

EPÍLOGO

A UDREY
Ocho meses después

No lo vais a creer, pero hemos vuelto.

A casa de los Viotto.

Irina y Josh se habían sentado delante nuestro en el jardín, donde no faltaba ni un solo detalle para la boda que estaba a punto de comenzar.

Mi hermano se giró para susurrar algo en el oído de George, mi flamante acompañante. Yo ya había vuelto a aquella casa en los Hamptons tres días antes, pero esta vez en compañía de Aurora y Drew, las empleadas de mi nueva floristería.

El negocio va mejor de lo que esperaba, ¡sí!

Dos empleadas, y pronto necesitaremos tres más. Y muy probablemente un segundo local en Manhattan, para poder dar salida a todos los pedidos que recibimos.

Tyler Viotto, abochornado por lo sucedido unos meses atrás con el intruso del micrófono, del que nunca nos contaron nada más, había insistido en contar con mis servicios de nuevo para los arreglos florales de su boda. *Todo estaría mucho más controlado y vigilado en esta ocasión*, me aseguró. Y no le faltaba razón. El perímetro de su mansión era propio de una reunión de jefes de estado.

—No puedo creer que esté aquí —dijo Josh, flipando por estar presente en la ceremonia de unión de dos familias históricas.

Él asistía como acompañante de Irina, la amiga de Amanda. Tyler había insistido en que la novia invitase a todas sus amistades y a sus parejas, pues ansiaba darle un aire de "normalidad" a su boda.

Noté los labios templados de George en mi cuello.

—No puedo esperar a verte en un altar —me dijo—. Y yo esperándote encima de él.

Me reí.

Desde hacía tiempo, prácticamente desde el primer mes desde su regreso a la ciudad, George decía a todo el mundo que yo era "su esposa", pero lo cierto era que aún no había dado el paso de pedírmelo formalmente. Iba a ser toda una sorpresa cuando todo el mundo recibiese nuestra invitación.

Observamos cómo la novia se acercaba al altar del brazo de su padre, Sergei Sidorov. Yo había revisado una y otra vez que las flores estuviesen perfectamente en su sitio, de la primera a la última, pero acepté relajarme durante la ceremonia solo porque Aurora y Drew me prometieron que estarían alerta por si algo se desprendía de su sitio.

Por primera vez en unos días, exhalé, apoyé la espalda en el respaldo de la silla y admiré la bonita estampa, los novios en el altar, desnudándose con la mirada, rodeados de preciosas flores blancas.

Eso me recordó algo.

—George.

—Uhm.

—Acabo de acordarme de...

—De qué.

—No, nada. Da igual.

—Dímelo, amor mío.

—Crees que Tyler o Amanda sabrán algo sobre...¿lo que hicimos en su cocina?

George soltó una risita cómplice.

—¿Cómo iban a saberlo?

—Se me acaba de ocurrir. No sé, micrófonos, intrusos...A lo mejor tienen algún sistema para...

—¿En qué andas pensando, Audrey?

Me encogí de hombros. No solía escoger el mejor momento para revelarle a George mis pensamientos. A veces podía ser un poco...inoportuna.

George posó sus labios sobre los míos.

—Me temo que nunca lo sabremos. Pero se me ocurre algo mejor. Ahora que todo el mundo está atento a la ceremonia sería el momento perfecto para colarnos en la casa y rememorar...

—Estás loco...—susurré.

Nos reímos y Josh se giró para reclamarnos silencio una vez más.

George me rodeó con sus brazos y me besó por enésima vez en aquella tarde.

—Exacto. Loco por ti.

Altas dosis de protección
Millonarios de Manhattan #3
Elsa Tablac

CAPÍTULO 1

HUNTER
    Mi superior me pasó una carpeta con la documentación correspondiente a nuestra próxima clienta, y en cuanto vi la foto de Kelly Fitzpatrick me alegré de que este trabajo durase solo una semana.

—No es solo una niña rica más —me dijo el jefe mientras me observaba atentamente—. Es la hija de Clayton Fitzpatrick.

Joe me miró, esperando una reacción algo más expresiva por mi parte.

Como si no me conociese.

Hace cuatro años que trabajo para él, en la agencia de seguridad Stradenski, y soy a quien asigna los encargos más complicados. Revisé de nuevo aquellos papeles, buscando exactamente dónde estaba la dificultad.

Nos dedicamos a la seguridad personal. No somos simples guardaespaldas, aunque eso es exactamente lo que busca la gente que nos contrata. También asesoramos a personas que por un motivo u otro se sienten amenazadas.

Me encogí de hombros. No tenía la menor idea de quién era ese tipo.

—¿Clayton Fitzpatrick?

—Un alto cargo de Naciones Unidas. ¿No te suena su historia?

Negué con la cabeza.

—Sabes que mi día a día es mucho más fácil si no lleno mi cabeza con las malas noticias con las que nos bombardean continuamente en los medios—contesté.

Joe suspiró. Se levantó de la silla que presidía sus despacho, el mismo que mis compañeros y yo llamábamos "el salón del trono". Allí acudíamos cuando terminábamos un trabajo y se nos asignaba otro de manera casi inmediata.

De todas formas, para mí aquella conversación no tenía ya demasiado sentido. No desde que vi la imagen de Kelly Fitzpatrick entre aquellos papeles, la mujer a la que tendría que proteger durante una semana, exactamente el tiempo que duraría la Semana de la Moda de Nueva York.

O debería de decir *cría*.

—¿Cuántos años tiene? —le pregunté a Joe.

—Veinte.

Respiré aliviado.

Al menos es mayor de edad.

Y eso era problemático, porque siempre había cumplido a rajatabla mi regla personal número uno (y también la de la empresa a la que represento): nunca, bajo ningún concepto, desarrollar una relación de tipo personal con una de nuestras clientas; las mujeres que por un motivo u otro necesitaban nuestra protección.

No es una norma original.

Supongo que la siguen más del noventa por ciento de tipos que se dedican a este negocio.

Y para mí nunca ha sido difícil, dado que desde mi divorcio, hace ya cinco años, había decidido tomarme un tiempo alejado de las mujeres. Una temporada larga, muy larga. Y casi sin darme cuenta ya había pasado un lustro y había acordado —y celebrado— conmigo mismo que aquel periodo de sequía pacífica y voluntaria iba a alargarse indefinidamente.

Lo cual no quiere decir que muy de vez en cuando no sea consciente de ciertos *anhelos*. Y la hija de Clayton Fitzpatrick encajaba perfectamente con ese reducidísimo número de mujeres que me hacían replantearme mi celibato.

Era una chica bellísima.

Y solo había visto un par de fotos.

¿Sería así en la vida real?

—¿Y por qué solo una semana? —le pregunté a Joe.

No era común.

No era nada común proteger a alguien durante un tiempo tan corto.

Por lo general nos contrataban para periodos de entre seis meses y un año, y en muchos casos esos trabajos se alargaban si al cliente le gustaba la protección que se le ofrecía.

Pero, ¿una semana?

Joe me miró.

—No sé si puedo contar mucho sobre esto. Lo que los Fitzpatrick han querido compartir está ahí —dijo, señalando la carpeta.

—Oh, venga ya, Joe. Necesito estar al tanto de todo. Esos eventos de moda son difíciles de cubrir. Mucha gente, muchos escenarios. Además, supongo que trabajaré solo, ¿no?

Coloqué de nuevo la carpeta sobre la nueva clienta encima de la mesa. Los informes de Joe eran verborreicos, innecesariamente largos y detallados. Prefería los que nos pasaba la secretaria de la empresa, Joanne, que en esas fechas estaba ausente, pues acababa de tener un bebé.

Joe se aclaró la garganta antes de hablar.

—Clayton Fitzpatrick, el padre de nuestra clienta, fue retenido durante diez días en un almacén de mala muerte en Buffalo. Lo secuestraron. Hará unos dos años de esto. La historia fue muy sonada porque el perpetrador del secuestro fue un director de cine frustrado que perdió la cabeza. Se dijo que escogió a su víctima prácticamente al azar. Ni siquiera se molestó en pedir un rescate. A Fitzpatrick, por suerte, lo localizó el FBI en un momento en el que el secuestrador bajó la guardia. Se encontraron con que el tipo estaba rodando una película sobre su propio delito. Una especie de documental...En fin, una cosa demencial.

—Vaya. No recuerdo esta historia. Y eso que parece bastante sonada.

—Lo fue. En su día.

—Supongo que sucedió durante mi etapa en Washington —contesté—. Entonces, la protección para la señorita Kelly, ¿fue idea de su padre?

—Eso no puedo precisarlo. Lo cierto es que después de lo sucedido, Fitzpatrick empezó a sobreproteger a sus hijas, aunque ambas ya eran mayores de edad cuando aquello sucedió. La familia vive en Manhattan; en una especie de fortaleza construida en un ático del Upper East Side. Y Kelly, la hija pequeña, y a la que tendrás que acompañar en una semana es *influencer*. De ahí que requieran nuestros servicios. Parece que la chica finalmente se ha animado a salir de casa.

Creo que pestañeé más veces de las necesarias. No entendía muy bien qué me quería decir Joe. Pero eso no era ninguna novedad. La comunicación verbal no era uno de sus puntos fuertes. Me levanté, cogí de nuevo la carpeta con las coordenadas del encargo y me dispuse a abandonar el despacho.

—Veamos —dije, a modo de resumen, y también de despedida—. Kelly Fitzpatrick, veinte años. *Influencer.* La recojo mañana en casa y coordino con ella las horas exactas en las que me necesitará.

—Exacto. Está invitada a varios desfiles de moda a lo largo de la semana. Simplemente tendrás que asegurarte de que llega a casa sana y salva al final del día. No estoy seguro de si saldrá los siete días. O los seis días. Háblalo con ella. Cualquier cosa o duda, habla con Joanna.

—Joanna está cuidando de su bebé. Me temo que no está disponible aún para nosotros.

El jefe me miró como si no supiese de qué le hablaba. A veces me pregunto dónde tiene la cabeza y cómo ha conseguido sacar adelante su negocio.

—Oh, cierto.

—No conviene que la molestemos con asuntos de trabajo.

95

Me miró, resignado. Supongo que por fin se había dado cuenta de lo mucho que la necesitábamos. Su trabajo a veces pasaba demasiado desapercibido, por el simple hecho de que no la veíamos en nuestro día a día, cuando ella se quedaba en la oficina atendiendo una gigantesca carga burocrática y nosotros, los guardaespaldas, nos dedicábamos a seguir a nuestros clientes allá donde querían.

—Todo claro —dije—. Hablaré con la clienta. Supongo que es mejor que la llame y...

—No. Nada de llamadas —Joe me cortó de forma tajante, y bastante enigmática, debo añadir.

—¿Por qué? Es el protocolo habitual para...

—Como te decía, no es una niña rica más, Bowman. Recógela el día y la hora que te indica en el informe, que es exactamente dos horas antes de que empiece el evento al que asistirá esa mañana, y que también es en Manhattan. La familia tiene coche y chófer propio, y están a tu disposición durante toda la semana. Ahí dentro también está el contacto del chófer.

Abandoné el despacho de Joe Stradenski con más preguntas que respuestas, pero con una sensación de satisfacción algo extraña e incómoda. Por aquellas fechas no estábamos precisamente sobrecargados de trabajo. Saliendo de una pandemia, tal y como estábamos, todo apuntaba a que los millonarios que nos contrataban no estaban aún por la labor de dejarse ver en el mundo exterior. Eso implicaba que tenía varios compañeros que, como yo, estaban a la espera de nuevos clientes.

Y sin embargo había sido yo el afortunado que había conseguido a Kelly Fitzpatrick. Me extrañó, la verdad. No era común que Joe me asignase a una chica tan joven y tan innegablemente atractiva.

Ese día me fui directo a casa, al pequeño apartamento que había alquilado en el Soho cuando llegué a Nueva York, justo después de mi divorcio. Pensé que un cambio de aires me iba a sentar bien. Me gustaba el anonimato que ofrecía una ciudad tan monstruosa y contundente.

Algunos periodos de tiempo había tenido que trasladarme a Washington por trabajo, así que no había tenido ocasión de cansarme de Manhattan. Todo llegará, supongo.

Abrí mi ordenador portátil y estudié con detenimiento las redes sociales de Kelly Fitzpatrick.

Apenas tuve que ver dos o tres fotos más para constatar que sí. Era condenadamente bella. Podría ser mi perdición, la excepción a mi regla de oro. Y empecé a trazar en mi mente un plan silencioso, maquiavélico y con total seguridad imposible.

Pero soñar es gratis. Y yo llevaba demasiado tiempo sin un sueño que perseguir.

No podíamos establecer relaciones personales con nuestros clientes, no.

Lo tenía muy claro.

Lo que sí podía hacer era, simplemente, esperar a que ya no fuese mi clienta. Y eso sucedería exactamente en ocho días.

Esta chica ha despertado a la bestia, pensé. ¿Es posible enamorarse mirando una simple fotografía?

Y no exactamente una foto.

Docenas de ellas. En su perfil de Instagram.

Tenía más de noventa mil seguidores.

Hubo algo que me llamó la atención enseguida en aquellas fotos en la que una estilosa Kelly Fitzpatrick, con su larga melena oscura, un innegable porte de modelo y, diría, bastante elegancia, posaba mirando a la cámara.

Todas estaban hechas en el interior de una lujosa casa.

No había ninguna al aire libre.

CAPÍTULO 2

KELLY —Por supuesto que entendí la gravedad de la situación. No soy idiota —le dije a mi madre, quien me observaba por encima de sus gafas de lectura.

—Y aún así, ¿quieres acudir a esos desfiles?

—Mamá, es mi trabajo.

Mi madre se rio. No, definitivamente no me tomaba en serio. Había pasado horas intentándole explicar los vericuetos de mi profesión, o al menos la que quería que fuese mi profesión.

—No hay nada bueno en las redes sociales, eso es todo. Es lo que pienso. La gente como nosotros no necesitamos aparecer en Internet. No nos conviene, de hecho —me había dicho mamá en más de una ocasión.

Sabía muy bien que intentaba protegerme, que trataba de retrasar al máximo el momento en el que yo decidiese "abandonar el nido" definitivamente. Pero las cosas habían sucedido prácticamente solas. Después de lo que le sucedió a mi padre, de aquel secuestro extraño y traumático, mi familia se había vuelto mucho más recluida.

Y yo hacía soberanos esfuerzos por encontrar mi lugar en el mundo y comunicarme con él. Y las redes eran la ventana que me lo había permitido.

Me levanté del sofá y di un paseo por la biblioteca, sin duda la habitación de la casa en la que mi madre pasaba más horas. Era una lectora empedernida. Y siempre había disfrutado del mayor de los lujos: el tiempo libre.

—Aunque tenga en cuenta tu opinión, que la tengo, ya está todo en marcha, mamá —le dije, tratando de conservar hasta el último resquicio de mi paciencia—. Coche preparado, chófer, invitaciones listas a los desfiles que más me interesan, *front row*, nada menos. Incluso he aceptado esa absurda imposición del guardaespaldas.

Clavé la mirada en la de mi madre para subrayar esto último.

—Eso no era negociable, ya lo sabes. Mientras sigas viviendo con nosotros, debes salir acompañada, Kelly. No vamos a permitir otro percance serio como el que ya tuvimos hace dos años. Y no, tus amigas en este caso no son una opción. Para un evento de las características de la *Fashion Week*, con tanta exposición y tantos asistentes, necesitamos que estés acompañada a la salida de cada desfile.

Resoplé. En fin. No iba a discutir más. Su casa, sus normas, ese era el resumen de todo. Y no. En absoluto me había olvidado de lo traumático que había sido el secuestro de papá. Tenía que acatar, hacer lo que se me pedía. De todas formas, si todo seguía yendo igual de bien que hasta entonces, pronto podría marcharme de casa. Pero ese era otro tema que no me convenía sacar en ese momento.

—Debe estar a punto de llegar, ¿no?

Mi madre desvió la mirada del libro que estaba leyendo, como si ya hubiese dado por terminada nuestra conversación.

—¿Qué?

—El guardaespaldas.

Consultó su reloj.

—Le pedí que llegase dos horas antes.

—Mamá, ya es bastante traumático para mí tener que pasar una semana acompañada por un extraño, siguiéndome a todas partes, para que encima pretendas supervisar toda la operación. No es necesario. Yo misma le atenderé y le pasaré los horarios en los que tengo que...

En ese preciso instante, sonó el timbre.

—Parece que ya está aquí.

Dios mío, y yo aún no había terminado de vestirme con el modelo que me habían enviado desde la oficina de prensa de Bursia, la diseñadora a cuyo desfile asistiría en solo cuatro horas.

Salí de la biblioteca y atravesé el largo pasillo que la conectaba con el vestíbulo del gigantesco ático en el que siempre habíamos vivido, una herencia de mi abuelo, Willis Fitzpatrick. Nuestra casa era tan grande que podían pasar días sin que viese a mis padres, a pesar de que vivían allí y salían poco.

El timbre sonó una segunda vez. *Impaciente*, pensé. El portero del edificio sin duda habría identificado a la persona que venía, y que habían enviado desde la empresa de seguridad Stradenski.

Obviamente, no estaba preparada para encontrarme con Hunter Bowman en ese instante.

Y no me refiero a que estaba a medio vestir, prácticamente, con una camiseta blanca y ancha perteneciente a mi arsenal de pijamas y una de las preciosas faldas de la nueva colección de Bursia, ya colocada.

Me refiero a que no estaba preparada para encontrarme con un hombre así.

Con esa mirada fría y penetrante, de esas que te analizan a ti y a tu aura y extraen todas las conclusiones correctas en apenas unas décimas de segundo.

Y su voz, densa y grave, no iba precisamente a apaciguar el ritmo cardíaco que acababa de desbocarse en mi interior.

—Vengo a ver a Kelly Fitzpatrick —dijo.

A ver a Kelly Fitzpatrick. *A verme.*

—Soy yo. Pasa por favor —me sorprendió mi tono de voz frío y desapasionado, tan en contraste con el torbellino que me estaba recorriendo al ver a aquel hombre en mi puerta.

Supongo que aún me pesaba esa continua discusión en la que vivía sumida con mi madre y que siempre rondaba los mismos temas: redes sociales, protección, los peligros de la ciudad y del mundo en general (hombres incluidos) y, muy especialmente, mi futuro profesional. Según ella, yo *no* necesitaba trabajar.

Las mujeres de esta familia no necesitan trabajar, Kelly, solía decir.

El guardaespaldas se detuvo en mitad del vestíbulo.

—Espera un segundo —dijo—. ¿Ni siquiera me preguntas quién soy?

Me desconcertó. Parecía molesto.

Lo que me dijo a continuación me puso los pies en la tierra de nuevo. Al instante.

—Es que no hace falta —contesté—. No espero a nadie más que a la persona que debían enviar de la empresa de seguridad de Stradenski. Al *guardaespaldas*.

Pestañeó. Parecía sorprendido o desubicado.

Me temo que no estamos empezando con muy buen pie, pensé. Y eso me inquietaba.

—Lo que quiero decir, Kelly, es que no has comprobado mi identidad.

—¿Cómo te llamas?

Sonrió levemente. Y eso me alivió.

—No me refiero a eso. Pero ya que lo preguntas, mi nombre es Hunter. Hunter Bowman.

Miré hacia arriba, esperando alguna señal, algún indicio del protocolo que debía seguir con él.

—Yo...lo siento, señor Bowman. Es la primera vez que me va a acompañar un...una persona de seguridad.

—Está bien, Kelly. Te explicaré cómo va todo. Es muy fácil. ¿Hay algún sitio donde podamos hablar tranquilamente?

Estábamos rodeados de tranquilidad, pero en ese preciso instante oí un carraspeó a mi espalda. Hunter miró por encima de mi hombro, tratando de ubicar la nueva presencia. Era como si su trabajo hubiese empezado en el momento en el que abrí la puerta.

Mi madre, por supuesto, había acudido rauda y veloz a ver al recién llegado. Observé una expresión complacida en su rostro.

Le extendió su mano.

—Adrienne —se presentó—. Soy la madre de Kelly.

—Encantado, señora Fitzpatrick. Hunter Bowman.

Se me escapó una risita. Aunque ya me había dicho su nombre, no había reparado en que era precisamente el nombre que esperarías de alguien destinado a convertirse en tu sombra.

—Os acompaño —dijo mamá.

Qué fastidio. Lo último que quería era que Hunter se llevase la impresión de que era una especie de chica-burbuja, alguien que no había abandonado jamás el manto protector de su familia. Pero es que a la mínima que lo intentaba, mi madre se cernía sobre mí como un ave carroñera.

Fuimos al salón.

Me acerqué al ventanal y contemplé los rascacielos.

—La verdad es que no tenemos demasiado tiempo, señor Bowman. He de terminar de vestirme. ¿No puede explicarme su protocolo de camino al desfile?

Me miró de arriba a abajo y después frunció el ceño. Parecía de nuevo irritado. Empezaban a obsesionarme aquellos pequeños gestos.

—Llámame Hunter, por favor.

—De acuerdo. Hunter.

—He leído la información que me han pasado desde la agencia. Tengo todos los datos prácticos. Horarios, eventos exactos a los que asistirás, accesos, planos de cada uno de los lugares.

El guardaespaldas desvió la mirada hacia mi madre.

—No tienen por qué preocuparse. Lo que necesito saber, lo que no está en la información que me han pasado, es si ha habido alguna amenaza explícita o implícita hacia la integridad de Kelly.

Mi madre abrió la boca para contestar, pero yo tomé la palabra enseguida.

—No. No ha habido ninguna amenaza. Tal vez ya se lo han dicho en sus informes, pero mi vida es bastante reclusiva. Mis seguidores en redes lo saben perfectamente. Saben que esta semana va a ser una de las pocas en las que estaré en un evento público. En el que me dejaré ver. Y por eso mi padre creyó que era mejor que asistiese acompañada.

—Bien. Muy buena decisión. Te haré llegar por email, esta misma tarde, una pequeña lista con unas recomendaciones sencillas. Me gustaría que las leyeras. Usted también, señora. La primera es la puerta de casa. No sabías quién era antes de abrir.

—El portero del edificio no dejaría subir a nadie potencialmente peligroso.

Hunter negó con la cabeza.

—No es suficiente. Tu propia casa es tu espacio seguro. Solo pido que te asegures de quién es antes de abrir. Y que no la abras si no esperas a alguien que conoces.

—Te esperaba a ti —murmuré.

El guardaespaldas me miró fijamente. ¿El personal de seguridad era siempre tan intenso? Me sentía algo indefensa delante de aquellos ojos grandes y oscuros. Había algo en él que me llevaba a obedecer cada una de sus órdenes, por nimias que estas fuesen. Y lo peor de todo era que estaba deseando hacerlo.

Obedecerlo.

En todo.

Mi madre se levantó.

—Creo que puedo estar tranquila confiándole a mi hija, señor Bowman.

—Por supuesto que sí.

Respiré hondo. Una de las estilistas con las que colaboraba se había marchado de casa hacía solo media hora. Mi maquillaje y mi melena ya estaban listos. Solo tenía que terminar de colocarme el modelo de dos piezas de Bursia. Me levanté.

—Termino enseguida. Creo que el coche nos espera ya abajo.

—Sí. Ya he hablado con el chófer.

No me sorprendía. Hunter Bowman había hecho todos los deberes.

—Estaré lista en diez minutos.

—Te espero aquí mismo —me dijo Hunter.

Me perdí por el pasillo, pensando en que tardaría mucho menos de lo habitual, porque estaba deseando reencontrarme con él; y en que ojalá considerase que debía convertirse en mi sombra también dentro de mi propia casa.

CAPÍTULO 3

HUNTER

Aquel trabajo iba a ser más problemático de lo que había pensado, y no por Kelly Fitzpatrick, ni por aquella madre aséptica y algo fría que se había perdido enseguida por las entrañas de aquel ático.

Era por mí.

Yo era el problema.

Estábamos en el lujoso Mercedes que los Fitzpatrick habían puesto a disposición de su hija y yo no podía apartar los ojos de ella. Y no de la manera que debería.

Kelly tecleaba frenéticamente en su teléfono móvil, pero me miraba de vez en cuando, tal vez estudiándome. No lo sé.

De todas formas, verla en persona no había hecho sino reafirmarme en mi intención. Iba a tener un comportamiento exquisitamente profesional durante esa semana. Iba a hacer mi trabajo.

Y después la invitaría a salir. Estaba decidido.

Solo serán seis días, Bowman.

No es que tuviese grandes esperanzas al respecto, pero no era inmune a su influjo, a la extraña y poderosa energía que se había creado entre nosotros, en su propia casa, ¡incluso con su madre presente! De todas formas, si me rechazaba, me lo tomaría como una señal de que mi celibato —hasta el momento— estaba siendo el camino correcto del que no convenía apartarse.

El lugar donde tendría lugar el desfile de moda estaba a unos quince minutos de trayecto desde la casa de los Fitzpatrick, dependiendo del tráfico que encontrásemos.

La observé con curiosidad. Quería saber todo sobre aquella chica. Todo lo que no había podido destilar de sus populares redes. ¿Se había creado un personaje, o er así realmente? Algo me decía que había una parte de ella que se reservaba para sí misma, que no exhibía ante los miles de ojos que la admiraban al otro lado de las pantallas.

Sus seguidores sabían que era la hija de Clayton Fitzpatrick, el hombre que había sido secuestrado por Colton Moore, un director de cine venido a menos. Un loco.

Había leído todo lo que había podido sobre el caso. La verdad es que era apasionante.

Pero el mundo del crimen y la crónica negra puede ser absorbente y mantenerte despierto hasta altas horas, así que no había profundizado todo lo que me gustaría. En ese momento se me ocurrió que podría ser ella misma quien me contase lo sucedido, mientras descansaba entre mis brazos, preferiblemente en una cama amplia y confortable.

Supongo que se me iluminó la cara con esa simple visión, porque Kelly apartó la vista de su teléfono y se quedó mirándome.

—¿Has visto algo gracioso?

Me trataba con mucha familiaridad para ser un total desconocido. Un desconocido que, además, pertenecía a su nuevo y flamante equipo de seguridad. Un equipo unipersonal.

Negué con la cabeza.

—Estamos llegando —dije.

—Tengo que preguntarte algo.

—Dime.

—No sé si me encontraré con algunos de mis seguidores. Pero es probable que haya gente que se me acerque o me pida una foto. No soy alguien que se deje ver a menudo, pero ya circula por las redes mi nombre entre los asistentes al *show* de Bursia de hoy. Solo quería asegurarme de que te parece bien.

Me sorprendió su no-pregunta.

—¿Que me parezca bien?

—Que se acerque la gente.

—No te preocupes por eso, Kelly. Entiendo cuál es tu trabajo y por qué estás hoy aquí. ¿Tú quieres que te hagan fotos? Si hay un motivo de peso para que no te las hagan, solo dímelo y haré todo lo posible.

—Bueno, no. En realidad ese es parte de mi cometido hoy aquí.

—Entonces me dedicaré a vigilar que puedes llevarlo a cabo de manera segura. No te preocupes, soy muy bueno leyendo los movimientos de la gente. Y mi campo de visión es excelente.

Respiró profundamente. Estaba nerviosa, era evidente.

—Esto ha sido idea de mis padres. Supongo que es evidente, ¿no? En el evento me encontraré con varios amigos. Gente del equipo de Bursia, la diseñadora. Creo que no era necesario molestarte. En el evento ya hay seguridad, y no voy a poder estar demasiado pendiente de ti.

Solté una carcajada.

—¿Molestarme?

—¿Te hace gracia?

Era algo insolente. Y bastante ingenua al mismo tiempo.

—No tienes que estar pendiente de mí, Kelly. Es al contrario, ¿sabes? Tú solo haz lo que tengas que hacer, y yo te seguiré a una prudente distancia. Todo irá bien.

Se quedó algo pensativa.

—Claro, disculpa. Es la primera vez que tengo un guardaespaldas. Hasta esa palabra impresiona.

—Lo entiendo, no te preocupes.

—Es solo que…entiendo que todo esto es por lo que le sucedió a mi padre, y no porque yo sea alguien especialmente relevante. Comprendo las precauciones. Es solo que me parecen excesivas.

Me acerqué a ella dentro del coche.

Dudé un instante, y al final estiré los brazos y lo hice. Agarré su mano. Estaba rebasando la barrera, el límite temporal —solo seis días—que yo mismo me había impuesto, pero no iba a permitir que aquella lágrima que amenazaba con escapar de su ojo derecho arruinase el que tenía que ser su gran día.

—Escúchame. Necesito que estés tranquila, Kelly. Haré mucho mejor mi trabajo si te calmas y confías en mí. No pienses ahora en los motivos por los que tienes un guardaespaldas, ni en las consecuencias. Céntrate en el momento presente. ¿Qué problema hay ahora mismo?

Noté cómo enredaba sus dedos entre los míos.

Problemático, muy problemático, Bowman.

—Ninguno. Ahora mismo todo está bien.

—Bien, eso es lo que necesitaba oír. Pues vamos allá.

El chófer que conducía el coche de los Fitzpatrick se detuvo ante la escalinata del edificio Pearl. Salí del coche yo primero para observar el exterior que rodeaba el pabellón.

Había gente, pero no iba a ser nada del otro mundo. Operarios que terminaban de transportar materiales al interior del edificio, gente de medios de comunicación con sus equipos, algunos curiosos y lo que a todas luces parecían modelos profesionales dirigiéndose al desfile a toda prisa.

Kelly permanecía en el interior del vehículo, atendiendo una llamada de último minuto.

Abrí la puerta trasera del coche para que bajase. Y en cuanto sus lujosas botas entraron en contacto con el asfalto, oí el primer grito.

—¡Es Kelly! ¡Kelly Fitzpatrick! ¡Por fin!

Y lo que iba a ser una jornada tranquila vigilando la contorneada figura de mi preciosa clienta se convirtió en una de las mañanas más estresantes de mi carrera.

Tal vez no había tenido en cuenta todas las variables. Aquella chica nunca había puesto un pie en el mundo exterior, prácticamente. No como la celebridad *online* en la que se había convertido en los últimos dos años.

Y Strandenski había considerado que solo iba a necesitar a un guardaespaldas.

Era de esperar que el primer día que la conocida *influencer* Kelly Fitzpatrick acudiera a un evento de moda todo el mundo se revolucionase.

Todo el mundo quería un pedacito de Kelly. Lo mínimo que estaban dispuestos a aceptar era una de sus miradas, una de sus sonrisas.

A las que yo mismo también aspiraba.

Las miradas veladas y sonrisas enigmáticas que tendría que compartir, al menos en esa semana, con centenares de *fans*.

CAPÍTULO 4

K **ELLY**
¿La *Fashion Week*? Sí, supongo que estuvo bien, pero habían pasado cinco días y solo tenía una cosa en la mente (o más bien una persona): Hunter Bowman.

Había sido agotador. Había acudido a siete desfiles, dos más de los inicialmente previstos. Había cerrado tres nuevos acuerdos de patrocinio. Había asistido a cuatro fiestas y a tres almuerzos de trabajo. Y en todo momento sentí su presencia y su protección. Siempre a la distancia adecuada. Se alejaba cuando necesitaba mi espacio para trabajar y se acercaba cuando yo lo miraba, suplicándole con los ojos que me sacase de algunos tumultos repentinos.

Exacto. Hunter y yo nos comunicábamos con la mirada y para el quinto día yo ya tenía varias cosas claras:

La primera, que no podía prescindir de él. Que lo necesitaba a mi lado. Con él en mi órbita no tenía ninguna sensación de peligro.

La segunda, que el acuerdo al que mis padres habían llegado con la empresa de seguridad Stradenski era tan solo para una semana, por tanto necesitaba una excusa para hacerles ver que necesitaba extender esa colaboración. No podía permitir que Hunter desapareciese de mi vida de un día para otro.

La tercera era, por desgracia, que eso no iba a ser tan fácil. Y el motivo era que al concluir mis compromisos con las firmas de moda que habían requerido mi presencia, yo volvería a mi sitio y a mi rutina, que no era otra que hacer fotos y crear estilismos en casa.

¿Y quién necesita un guardaespaldas en su propia casa?

—Hoy estás muy pensativa —me dijo Hunter—. Supongo que ha sido una semana agotadora, ¿no?

Estábamos en casa después de una larga jornada. Mis padres habían salido a cenar a casa de los Fuller, unos buenos amigos. Hunter me había acompañado de vuelta del último de los desfiles. Al día siguiente tendría lugar el último de mis compromisos publicitarios: un almuerzo a mediodía.

Hunter solo había accedido a entrar en casa porque le dije que estaría sola, que mis padres habían salido a cenar —algo que no pasaba casi nunca— y que nuestra cocinera había dejado la cena preparada y se había marchado.

Solo entonces, cuando se dio cuenta de que pasaría parte de la noche sola en nuestro ático, accedió a acompañarme un rato más. Le tuve que pedir expresamente que se relajara un poco, que se sentase en el sofá que había frente a la chimenea. Aunque sabía perfectamente que Hunter Bowman no había bajado la guardia. Que seguía en su papel de guardaespaldas, porque el plazo que habíamos acordado no había llegado a su fin.

—Supongo que también ha sido largo y agotador para ti —le contesté.

—Yo estoy bien.

—Mañana es tu último día —dije—. ¿Cuál es tu próximo destino?

—¿Mi próximo destino?

—Sí. ¿Tienes un nuevo cliente?

Hunter negó con la cabeza.

—No he tenido noticias de Stradenski en toda la semana. Es raro. Por lo general nuestro superior nos contacta para ver si necesitamos más recursos. Para ver si todo está bien.

—¿Más recursos? Te refieres a...

—Me refiero a más guardaespaldas.

—¿Y bien? ¿No los has necesitado?

—No.

—Pero ha habido momentos en estos días en los que tú mismo dijiste que la cosa se estaba desbordando y que debía de retirarme o...

—No creo que necesites más protección que la mía, Kelly.

Me miró fijamente y sentí que quería comunicarme algo con la mirada, algo que yo no era capaz de interpretar o que, simplemente, estaba malinterpretando.

Hunter se revolvió en el sofá y acercó un poco su postura a la mía. Yo estaba sentada en el sofá de enfrente y ya no me cabía la menor duda: donde quería estar era junto a él. O más bien, sobre él. Aquel hombre me estaba volviendo loca. Estaba despertando en mí algo monstruoso y desconocido, y terriblemente bello. Me sentía bien, y al mismo tiempo sentía que enfermaría si lo perdía de vista.

—Podría ser más explícito —añadió entonces— pero nos queda un día de trabajo.

—Puedes serlo.

—Kelly, simplemente estoy esperando a que...

—Estoy pensando en solicitar que extiendan tu contrato —dije, interrumpiéndolo.

—¿Cómo?

—Creo que deberías seguir siendo mi guardaespaldas. Tienes razón. No quiero a ningún otro, Hunter.

Parecía confundido.

Se levantó y dio unos pasos en círculos por el salón. Eran casi las once de la noche y tenía la apremiante sensación de que debía quemar las naves con Hunter Bowman. Creía que yo le gustaba, a pesar de los diez años que nos separaban. Que podía ser. Que esa forma de mirarme no era una herramienta de trabajo, una forma de asegurarse de que nada amenazante se acercaba a mí.

—¿Por qué crees que necesitas un guardaespaldas de forma permanente, Kelly? Corrígeme si me equivoco, por favor. Habitualmente trabajas desde casa. Creas contenidos para tus redes y colaboras con marcas sin salir de tu propio dormitorio. Eso es más o menos lo que me has explicado. Dime, ¿tienes previsto que esto cambie?

Sinceramente, no podía ofrecerle muchos detalles. No era algo en lo que hubiese pensado. Solo quería aferrarme a su presencia. A su energía.

—Sí. No. No lo sé.

—Kelly...

—No voy a seguir viviendo mucho tiempo más en casa de mis padres, Hunter. Debo decir que me va muy bien en mi profesión, aunque mi madre no lo considere un trabajo. Accedí a quedarme en casa un tiempo más por todo lo que le sucedió a mi padre. Mi hermana fue más lista y se largó en cuanto pudo a vivir con su novio. Pero ya han pasado más de dos años. No puedo vivir siempre en esta burbuja. Soy mayor de edad y estoy lista para independizarme...

Hunter me miró. Sus ojos apuntaban a mis labios y yo ya no tenía ninguna duda al respecto. Pero yo sabía muy bien que no daría ese paso. Que no se acercaría a mí si no había nada ni nadie amenazando mi integridad en ese instante.

El silencio que se erigió entre nosotros ya era de por sí bastante elocuente.

—Pero no has contestado a mi pregunta, Kelly. Todo eso me parece perfectamente normal. ¿Por qué crees que necesitas un guardaespaldas?

Respiré hondo.

Di un paso para acortar aquella distancia, que ya me parecía forzada y antinatural, contraria a lo que nuestros cuerpos exigían.

—Antes no has terminado tu frase —le dije, esquivando de nuevo su pregunta.

Quería que él mostrase sus cartas, a pesar de que estaba prestando sus servicios. Y conocía muy bien el riesgo que Hunter tomaría si lo hacía. Pero apenas quedaban unas horas para que expirase nuestro acuerdo.

—¿A qué te refieres? —preguntando.

—Decías que estabas esperando a algo. A qué. te interrumpí. Perdona.

Alargué el brazo y tomé su mano derecha entre las mías. Estaba fría, a pesar de la calidez que emanaba de la elegante chimenea eléctrica. La envolví con mis dedos para que entrase en calor.

—A que expirase el plazo. A que ya no nos uniese un contrato, Kelly.

—¿Para qué?

La mano que le quedaba libre ya acariciaba mi mandíbula, como si hubiese cobrado vida propia.

Hunter me besó. Me contestó con un suave beso. Y un segundo antes de acercar sus labios a los míos dejó escapar un pequeño suspiro de derrota.

Como si se hubiera rendido.

Como si hubiese claudicado después de una intensa batalla contra sí mismo.

CAPÍTULO 5

HUNTER

Para esto, por supuesto. Para besarla una y otra vez. Para ofrecerle la protección real que ansiaba darle a Kelly Fitzpatrick. La que solo encontraría entre mis brazos, bajo unas sábanas.

Ahogué un sollozo en su cuello, mientras sus labios recorrían el mío. Aquello estaba mal, y era perfecto al mismo tiempo.

Y estaba mal porque estaba quebrantando mi norma, prácticamente mi única regla como guardaespaldas. Estaba dinamitando nuestra relación profesional y traspasando una línea roja que yo mismo había marcado con fuego.

Dios, Bowman, ni siquiera eres capaz de esperar doce horas para tocarla. Las doce horas que me liberarían del contrato con los Fitzpatrick y que me separaban del momento en que podría presentarme de nuevo ante Kelly como lo que era en realidad: el hombre que pretendía conquistarla.

Pero el calor que emanaba de su piel a esas horas de la noche era casi intoxicante. Solo un extraterrestre podría resistirse a ella. Nos deslizamos hasta el sofá del salón.

No podía explicar la felicidad que me había invadido en cuanto vi cómo ella respondía a mis besos y mis caricias.

Kelly me devoraba y yo me derretía por el efecto devastador de su lengua.

¿Cómo iba a apartarla?

Su blusa ya estaba entreabierta. Su piel estaba a la vista, al alcance de mi boca, de mi lengua.

—Kelly —susurré. Tenía que hacer un último intento—. Aunque me muero de ganas de que esto pase, me había prometido a mí mismo no hacer nada hasta que nuestro acuerdo expirase. Supongo que te haces una idea, pero está totalmente prohibido que traspasemos ciertos límites con nuestros clientes.

—Solo faltan unas horas —contestó con un suave ronroneo—. Y llevo toda la semana pensando en ti, Hunter.

Me miró a los ojos mientras me decía aquello. Y aquella mirada tan explícita me ponía nervioso y me llevaba hasta el séptimo cielo.

Su sonrisa era contagiosa. Podría despertarme admirándola todos los días durante el resto de mi vida. Ese pensamiento no me asustaba. Supe que Kelly estaba destinada a ser mía en el momento en que la vi por primera en las fotos que me mostró Joe en su despacho. Simplemente no quería admitirlo. Me había resistido. Y cuando abrió la puerta de su casa no tuve más remedio que aceptarlo.

—Vamos a quitarte esa camisa— le dije.

Kelly levantó los brazos mientras yo, a toda velocidad, me desprendía de aquella prenda sacándola por encima de su cabeza. La envié volando al otro extremo de la habitación mientras ella dejaba escapar una risita juguetona. Por lo pronto no la iba a necesitar.

Fue entonces cuando fui consciente de la gran dimensión de sus pechos, que contrastaban con su cintura estrecha y su talla *petite*. El sujetador a duras penas podía contenerlas. Esas magníficas tetas empezaron a balancearse en cuanto puse mis manos bajo ellas. Deslicé mis dedos debajo de los alambres que armaban el sostén de seda y las amasé, esperando su reacción. Pero aquello no fue suficiente, necesitaba admirarlas.

Bajé los tirantes del sujetador y lo deslicé hacia su cintura.

Lo cierto era que tenía otros planes para ella, pero ante todo no podía resistirme a llevarme un pezón a la boca. Lo mordisqueé, suavemente al principio. Kelly gimió. Mordí un poco más fuerte.

—¡Joder, Hunter!

Dejó escapar un sonido de puro placer. Estaba testeando sus límites y todo apuntaba a que a mi chica le gustaban los gestos un poco rudos.

Me concentré con la lengua y los labios en uno de sus pezones y cuando vi que se retorcía entre mis brazos, que seguíamos perdiendo piezas de ropa sin darnos cuenta, decidí desplazarme sobre el otro.

Mi sexo se revelaba ya en toda su magnitud, apretándose contra su vientre, pugnando por salir y deslizarse en su interior.

No podía más.

Imposible detenerme.

—Date la vuelta. Apóyate en el respaldo —le ordené.

Ella asintió.

Esperé a que el glorioso trasero de Kelly estuviese frente a mí. Me alineé con él, e inmediatamente pasé los dedos por debajo de su ropa interior, esperando su reacción. Fue un gemido intenso, casi animal. Tenía un culo redondo y perfecto.

—Inclínate un poco, cariño —le dije.

—Hunter, yo...

—¿Quieres que utilice un preservativo, Kelly?

Sinceramente, yo no quería. Quería apreciar hasta el último roce, la última sensación que su interior pudiese provocarme. Sin barreras. Pero eso no dependía de mí. Observé sus mejillas encendidas. Kelly me miraba por encima de su hombro. Dios mío, si hubiera sabido que mi deseo era correspondido no hubiese esperado ni un solo día.

—No —dijo—. Quiero que me folles. Sin nada entre nosotros. Fóllame, Hunter.

—Buena respuesta.

No podía pensar con claridad. Ya no. Ni siquiera fui consciente en ese momento de que sus padres podrían llegar en cualquier instante y sorprendernos haciéndolo allí mismo, junto a su chimenea. En el carísimo sofá del salón.

Me incorporé un poco, separando sus piernas y alineando mi polla con su centro. La espera durante toda esa semana había sido casi dolorosa. Había sido pura tortura ver cómo sonreía a otros hombres, como se hacía fotos con ellos amigablemente. Y aquella sensación era inquietante, pues sabía muy bien que yo no era celoso. No eran celos. Era simplemente ser consciente de que yo no podía hacer lo mismo, no podía rodearla con mis brazos, ni siquiera de forma casual.

Solo podía hacerlo para sacarla de una maraña de gente e introducirla en el coche.

Solo podía tocarla para ponerla a salvo.

Y no. No era suficiente.

Deslicé mi polla arriba y abajo, entre sus pliegues húmedos, cubriéndola con sus dulces jugos. Se topó con su clítoris, aún sensible por el contacto con mis dedos.

Kelly gimió de nuevo.

—¡Hunter!

Nunca me había gustado demasiado mi nombre hasta que lo había oído salir de su garganta.

Si el deseo de estar dentro de ella no fuese tan intenso habría podido seguir así, frotándome entre sus muslos, impregnándome de la humedad que emanaba de su interior hasta que los dos nos corriésemos. Era más que factible.

Sujeté su cadera con una mano mientras la otra guiaba mi pene hacia su entrada. Su carne lo aprisionó lentamente con la punta como advertencia. Estoy bien dotado, pero supe que se amoldaría perfectamente alrededor de mi polla. Me sumergí dentro con un certero movimiento, llenándola por completo.

Kelly resopló, resistiendo la repentina presión y luego gimió, cuando fue consciente de que ya estábamos completamente unidos. Y no me refiero solo a nuestros cuerpos. Ya no había marcha atrás. Me quedé quieto dentro de ella, dejando que sus paredes se estirasen lentamente para ajustarse a mi tamaño.

—¿Estás bien, cariño?

—Sí. Joder, eres enorme.

—Te recompensaré. ¿Harás lo que te digo?

—Sí.

Me incliné hacia atrás y agarré sus tetas inabarcables con ambas manos. Eso parecía gustarle demasiado.

—Quiero que juegues con tu clítoris mientras yo continúo.

Kelly asintió.

Era obediente, sumisa en la cama. Y al mismo tiempo estaba concentrada en su propio placer. Y eso me volvía loco.

Desplazó una mano hacia su centro y yo salí de ella lentamente. Apretando sus tetas, masajeándolas, empujé de nuevo. Pero salí mucho más rápido esta vez. Pellizqué sus pezones desde atrás. Kelly gritó mi nombre.

—¡Oh, Hunter, por favor! No te detengas.

La verdad: no tenía intención de parar hasta que mi semilla acabase en su interior. No tenía ninguna duda de que Kelly era para mí y yo era para ella, y por tanto no había posibilidad de retroceder.

Para ninguno de los dos.

Retomé el movimiento. Hacia dentro. Con fuerza. La saqué de nuevo. Ella me buscó de nuevo con sus nalgas firmes y blancas.

La metí de nuevo, hasta el fondo.

—No voy a parar. Eres mía, Kelly. Dilo.

—Soy tuya.

Esas dos simples palabras eran gasolina pura. Me empleé con más energía, entendiendo que aquello era exactamente lo que la hija menor de los Fitzpatrick quería, lo que demandaba de mí. Lo que quería de su guardaespaldas. Bombeé más intensamente. Más rápido.

Y cuando sentía que los dos estábamos llegando al clímax, la sujeté con fuerza. Encontré el punto justo, el movimiento exacto que iba a provocar que me corriese sin remedio en su interior, o sobre el lujoso sofá de piel, si nada lo impedía.

Mis testículos golpeaban rítmicamente sus nalgas, arrancando un placentero sollozo con cada uno de mis movimientos. Ella se revolvía entre mis brazos, bajo mi cuerpo, como una auténtica gatita.

—Córrete para mí, Kelly.

Cuando sus gemidos empezaron a intensificarse, me anticipé. Supe que estaba a punto. Y en el momento exacto en que Kelly desfalleció entre mis brazos y su carne empezó a comprimir mi glande acompasadamente ya no pude aguantarme más. Me dejé ir, en lo más profundo de su cuerpo.

Ahogué un intenso gemido junto a su nuca, cubierta de delicadas perlas de sudor que habían humedecido su melena.

Ya está. Ya es mía, pensé.

Kelly Fitzpatrick ahora me pertenece.

Y yo le pertenezco a ella.

CAPÍTULO 6

KELLY

Nos recompusimos a toda prisa y recuperamos las prendas de ropa que habían quedado desperdigadas por todo el salón. Mis padres estarían al llegar y no estaba segura de hasta qué punto era apropiado que Hunter me acompañase dentro de casa.

Era la primera vez que estaba con un hombre.

Mi primera vez.

No tenía la menor idea de si él lo había notado. ¿Un chico puede saber esas cosas? Había estado a punto de decírselo en dos ocasiones, principalmente por las dimensiones de su miembro. Pero supongo que era consciente de eso, porque fue cuidadoso. Fue delicado e intenso. Arrollador, diría. Todo a la vez. Y al mismo tiempo me había llevado a un estado de excitación que nunca había experimentado. Era como si flotase.

Cuando pasó un rato, lo acompañé hasta la puerta. Lo notaba inquieto, como si aún no hubiese recuperado del todo el aliento.

Una vez allí, me abrazó.

Me estrechó contra su cuerpo.

Y en ese instante volví a sentirlo de nuevo. La seguridad. El convencimiento de que todo a su lado estaba bien y que al día siguiente Hunter volvería a estar ante aquella puerta. Y no solo por nuestro contrato, al que le quedaban horas de vida.

La pregunta era, ¿estaría ahí al día siguiente?

¿Y al otro?

Hunter me miró, cómo si fuese a hacerme una pregunta que llevaba un rato guardándose.

—¿Estarás bien? Me destroza tener que marcharme justo ahora, Kelly.

Estábamos junto a la puerta de casa, él ya fuera, en el pasillo de acceso a los ascensores. Yo dentro.

—Hunter, mis padres están a punto de llegar.

—Puedo esperar contigo hasta que lleguen.

—Es tarde.

—No me importa quedarme un rato más. Hasta que estés de nuevo acompañada.

—Hunter...no es la primera vez que me quedo sola en esta casa. Me iré a dormir enseguida. Estoy agotada.

Traté de quitarle hierro al asunto con una sonrisa.

Me miró de nuevo con cierta intensidad. No se iba. Era tozudo y el problema era que en aquel momento no podía estar segura de si quería quedarse como guardaespaldas, o si solo quería hacerme compañía.

Si era lo primero, estaba claro: yo ya estaba en casa, sana y salva, y sus compromisos conmigo habían terminado por ese día.

Si era porque quería estar conmigo y abrazarme, eso me gustaba mucho más. Pero no quería que mis padres me encontrasen ese panorama. No en esa semana, cuando él aún debía acompañarme al día siguiente.

Negué con la cabeza. Estaba decidida a mantenerme firme. No era una cría. Todo el mundo se empeñaba en mantenerme dentro de una burbuja que yo intentaba abandonar a toda costa, y solo faltaba que el hombre que me interesaba, el que me había seducido y cautivado, hiciese exactamente lo mismo que mis padres.

Por muy guardaespaldas que fuese.

Hunter apoyó su hombro en el marco de la puerta. Tenía el pie derecho adelantado, impidiendo que yo cerrase.

—Hacemos una cosa —me dijo—. ¿Por qué no llamas a Adrienne, a tu madre, y le preguntas cuánto falta para que lleguen?

—Hunter, por favor...

—¿Quieres que me vaya?

—Te aseguro que no hay nada que me gustaría más que pasar la noche contigo...en las condiciones adecuadas. Creo que me meteré en problemas si mis padres llegan y te encuentran aquí. Es tarde.

Miró al suelo, resignado.

—Solo quiero que estés segura, Kelly. Debes entender que si estás a mi lado siempre voy a estar obsesionado con tu integridad. Está en mi ADN y tratándose de ti, eso se multiplica por mil.

Me salió solo.

Respiré hondo y lo solté:

—Entonces tal vez no es eso lo que quiero, Hunter.

Levantó los ojos, atónito.

—¿Cómo?

—No quiero que mi novio, o que mi futuro marido, el hombre con el que me gustaría formar una familia, se obsesione con mi seguridad hasta el punto de encerrarme de nuevo en la burbuja de la que pretendo escapar. De la que llevo años intentando salir.

—Kelly. No es eso, yo...

—Es exactamente lo que parece.

Hunter apretó las mandíbulas, como si tuviese que hacer un esfuerzo extra por retener sus verdaderos pensamientos. ¿Qué le pasaba? ¿Y cómo había podido yo cometer ese error? ¿Cómo había podido dejarme seducir por el hombre al que se le había encomendado mi seguridad?

—Eres mi guardaespaldas, Hunter. Durante veinticuatro horas más. Pero solo tenías que acompañarme en mis desplazamientos por la ciudad. Ahora estoy en casa y me gustaría...

Me miró, profundamente contrariado. Aún así terminé la frase:

—...Estar sola.

CAPÍTULO 7

HUNTER
    Bajé en el ascensor del edificio en el que vivían los Fitzpatrick, bastante mosqueado. No con Kelly, por supuesto. De nuevo, mi furia podría ir perfectamente dirigida a mí mismo.

La entendía. La entendía al cien por cien.

¿Cómo podía haberme enamorado de ella? Tan rápido, tan profundo...

Tan irrenunciable.

Lo que acababa de pasar entre nosotros había sido pura magia. Había notado algo que nunca había experimentado, ni siquiera con mi ex esposa. Como si el amor fuese energía real, tangible, que nos había envuelto en aquel sofá y me hubiese dictado cada una de las caricias que le había infligido a Kelly. Qué hacer. Dónde tocar.

Y mi enfado podía resumirse en que sí, en que ella tenía razón.

Durante aquella semana había sido mi clienta, la mujer a la que debía proteger de forma escrupulosa y profesional. Y había cruzado la línea para la que no había marcha atrás. Iba a salir con ella. Conquistarla. Aunque fuese consciente de que las chicas de su clase no suelen ir más allá con tipos como yo.

Pero eso me daba igual.

Sabía que podía conquistarla.

Lo que no había pensado era que no iba a poder dejar de ser su guardaespaldas.

Nunca.

Probablemente, a partir del día siguiente, lo iba a ser más que nunca.

Y eso no era algo que ella fuese a tolerar fácilmente. Lo había dejado muy claro.

Bajé hasta la puerta del edificio y observé que el portero se había quedado dormido detrás del mostrador. Golpeé la madera con los nudillos para que se despertase. Lo hizo y me saludó, pero posiblemente solo durante cinco segundos.

Genial, pensé.

No iba a marcharme, *por supuesto.*

Iba a montar guardia en la puerta hasta que el coche de los Fitzpatrick apareciese por allí. Hasta que me asegurase de que su familia llegaba a casa y Kelly no dormiría completamente sola en ese ático.

Dios mío, no había pensado en eso. ¿Dónde iba a llevar a una chica cómo ella? ¿A mi minúsculo apartamento? Mi cama era enorme y más que cómoda, eso seguro. Me había asegurado de comprar el mejor de los colchones que encontré. Pero, ¿eso era suficiente para la hija menor de los Fitzpatrick?

Eres un iluso, pensé. *Mañana es tu último día a su lado y ni siquiera sabes si querrá volver a verte.*

La ilusión y la pasión que me habían desbordado apenas hacía una hora se habían disipado como el humo que salía de la alcantarilla más cercana.

Di unos pasos y me apoyé en una farola.

No hacía demasiado frío, para ser febrero.

Encaré el edificio y miré hacia arriba, hacia el ático de los Fitzpatrick. Consulté mi reloj. Eran las doce y cuarto. Los padres de Kelly no podían tardar demasiado en llegar, ¿no?

Desde fuera no se veía el mostrador del portero del edificio, que permanecía en la penumbra. Así que no tenía manera de saber si se había vuelto a quedar dormido. Observé la ventana del dormitorio de Kelly, desde abajo. Estaba a unos veinte pisos de altura y aún así podía distinguirla entre un millón de ventanas iguales. La luz de su cuarto estaba encendida desde hacía unos diez minutos.

Supongo que una parte importante de nuestro trabajo tiene un firme arraigo en la intuición. Las mujeres son intuitivas, los hombres no tanto. Debemos desarrollar ese poderoso don conscientemente. Y en eso me había focalizado en los últimos diez años. En fiarme de mi instinto y afilarlo hasta convertirlo en un arma de la mejor precisión.

Llevaba unos veinte minutos apostado frente al edificio de los Fitzpatrick cuando lo vi.

No pude apreciar su cara, pero sí lo que llevaba en la mano derecha. Una cámara de fotos con un potente objetivo. No muy voluminosa, pero demasiado cara y profesional como para mostrarla al aire libre, sin la debida protección.

En cuanto vi que entraba en el portal del mismo edificio en el que probablemente Kelly ya dormía, salí disparado tras él.

Seguí a aquel tipo.

Entré en el vestíbulo. Estaba desierto y en penumbra. No era que el portero estuviese dormido tras el mostrador. Es que, directamente, no estaba. Y tampoco el tipo sospechoso que acababa de entrar.

Demonios, maldije entre dientes.

Observé los ascensores. Solo uno de ellos se movía. Observé como el número ascendía, demasiado despacio.

Mi dedo ya estaba sobre el botón del que había quedado libre.

Petrificado, observé cómo el ascensor que subía se paraba en la planta número veinte.

La misma en la que estaba el ático de Kelly.

Solo los Fitzpatrick vivían allí.

Mierda.

Eché un vistazo a la escalera de emergencia e hice un cálculo a toda velocidad. No, el ascensor. Debía esperar al ascensor.

No podría expresar lo que sentí dentro de aquel habitáculo de mármol mientras subía hacia el cielo de Manhattan. Hasta la más pura de las pesadillas.

En cuanto se abrió, me abalancé sobre la puerta de la vivienda entreabierta. La misma en la que me había despedido de Kelly, compungido, solo un rato antes.

Y allí me encontré lo que me temía, exactamente. El tipo la retenía sobre el suelo del salón, y estaba a horcajadas sobre ella. Había dejado su carísima cámara a un lado. No quiero saber qué pretendía exactamente, ni por qué quería imitar, yendo mil pasos más allá, lo que le había sucedido al padre de Kelly dos años atrás.

Lo agarré de un brazo y lo levanté sin demasiado esfuerzo. La adrenalina dirigía mis manos hacia su cuello.

Kelly soltó un grito terrorífico y eso propulsó el sonoro puñetazo que le endosé a aquel maldito pervertido.

—¡Llama a la policía, Kelly! Yo lo retendré mientras llegan.

El tipo tenía la cara cubierta con una mascarilla. Se la arranqué de un manotazo, temiendo encontrarme con el maldito psicópata, el director de cine trastornado que había secuestrado a su padre. Colton, ese era su nombre.

Y no, solo era un burdo imitador.

Un idiota que había llegado demasiado lejos.

Colton seguía en la cárcel.

Saqué unas esposas de mi bolsillo trasero y lo inmovilicé. Tendría que quitárselas antes de que llegase la policía o tendría problemas, pero por el momento me ayudarían a mantenerlo bajo control.

—¿Qué pretendías, cabrón?—gruñí—. Jamás volverás a tocarla, ni a mirarla siquiera, ¿me entiendes?

El asaltante temblaba bajo el peso de mi rodilla derecha.

—Solo quería...hacer un cortometraje...Quería que Kelly fuese la protagonista.

—¿Y asaltándola en su casa en plena noche te parece la mejor manera de hacerlo?

—Nunca respondió a mis mensajes. Le envié decenas de mensajes directos a través de Instagram y ella nunca tuvo la decencia de contestar.

—¡Cállate, dios! Cállate si no quieres que te parta la cara.

La policía llegó casi al mismo tiempo que los Fitzpatrick, quienes contemplaron horrorizados cómo se llevaban detenido al intruso. Cuando estuve cien por cien seguro de que habían abandonado en el edificio, acepté por fin el vaso de agua que Adrienne me ofrecía.

Clayton agitaba la cabeza en señal de profundo disgusto.

—No sabe cuánto se lo agradezco, señor Bowman...Sé que está trabajando fuera de su horario. Sé que no debía estar aquí cuando esto sucedió.

Kelly, quien había tenido hasta el momento un comportamiento ejemplar, manteniendo la calma y avisando al portero y a la policía, siguiendo mis instrucciones al milímetro; rompió a llorar en ese preciso instante.

Y no me pude contener.

Corrí a abrazarla.

Su rostro se hundió en mi cuello, impregnándolo de lágrimas que me ardían. No le importó que sus padres contemplasen la escena atónitos. Que nos viesen abrazados, como debíamos haber seguido el resto de la noche.

—Creí que eras tú —susurró junto a mi oído.

—¿Cómo?

—Por eso abrí la puerta. Creí que habías vuelto. Que habías subido de nuevo a casa. No soporté que te fueras así, disgustado. Me entristeció tanto, Hunter... Corrí a abrir la puerta rezando para que tú fueras el que estuviese tras ella.

—Oh, Kelly. No pienso volver a separarme de ti, ¿me oyes?

Levanté la cabeza y me crucé con la mirada de asombro de Adrienne.

—¿Me oyen? No me separaré de Kelly.

El padre de Kelly asintió.

—No creo que nadie la cuide y la guarde como tú, Hunter Bowman —dijo, en señal de aprobación.

Absorbí sus últimas lágrimas con mis labios. Los suyos iniciaron una curvatura ascendente, una tímida sonrisa. Faltaban unas pocas horas para que expirase nuestro contrato, y también para que empezase el nuevo. Uno que, con un poco de suerte, duraría toda la vida.

EPÍLOGO

K **ELLY**
   Once meses después

Apagué el ordenador al oír la puerta del apartamento de Hunter. Observé su fornido cuerpo dirigiéndose directamente hacia mí, sin quitarse la chaqueta siquiera.

No me dio la noticia nada más entrar. Esperó unos minutos a que aumentase la tensión. A que yo, impaciente, le preguntase por las novedades.

—¿Sí?

Aguardó un segundo antes de abalanzarse sobre mí, levantarme en volandas y abrazarme con su fuerza habitual.

—¡Sí, nena! Lo tengo.

—¡Oh, Hunter, no sabes cuánto me alegro! Sé lo mucho que querías ese ascenso.

—Eso no es lo importante —me dijo—. El ascenso no es lo que me importa en el fondo, Kelly. Lo que quería era tener más libertad, más margen para pasar tiempo a tu lado.

Me besó. Nos besamos.

Rodeé su cadera con mis piernas mientras él me depositaba con cuidado sobre la cama.

Me había ido a vivir con Hunter apenas unos días después de lo sucedido en el ático de mis padres. Por supuesto, no pusieron objeción alguna, al ver cómo manejó la situación. Sobre todo mi padre. Mamá tuvo más reparos y llegó a mencionar que alguien como yo no podía involucrarse "a ciertos niveles" con su personal de seguridad.

—Él ya no es mi guardaespaldas, mamá —le había contestado yo, muy seria—. Hunter es mucho más que eso.

Estuve a punto de decirle que él había sido mi primer hombre, pero me contuve. Con Adrienne, cuanto más se le dosificara la información, mucho mejor. Debía aprender de mi hermana mayor. Ella era una maestra a la hora de complacer a mis padres y hacer su vida al mismo tiempo.

Nuestros primeros meses juntos fueron una auténtica luna de miel. Me aparté un poco de las redes sociales y retomé un viejo *hobby*: empecé a escribir historias de misterio.

Los relatos pronto se convirtieron en novelas, y en solo unas semanas tendría una reunión con una de las editoras de WonderBooks para estudiar la posibilidad de publicarla.

Ese sería uno de mis sueños desenterrados. Había dejado de escribir a los diecisiete años, aunque siempre lo hacía durante mi adolescencia. Supongo que tener una cuenta de Instagram con más de cien mil seguidores ayuda a conseguir viejos objetivos.

Me gustaba haber retomado esa dinámica.

Aunque mi madre tampoco lo considerase un trabajo real.

Y me había adaptado perfectamente al pequeño apartamento de Hunter, a pesar de que en los últimos meses papá insistía para ayudarnos a conseguir un sitio más amplio. Pero Hunter no quería ni oír hablar de ello.

Yo te proporcionaré el sitio perfecto. Solo necesito un poco de tiempo, Kelly.

Y yo estaba dispuesta a concedérselo. Por supuesto. Por supuesto que tenía todo el tiempo del mundo para alguien capaz de arriesgar su vida por salvar la mía. Y no solo porque estaba, como él decía, en su ADN.

Hunter lo sentía así.

Introdujo su mano bajo mi camiseta y acarició mi espalda.

—¡Espera, espera!—exclamé. Sabía muy bien cómo solían acabar esas caricias.

—¿Esperar?

—¡Cuéntame bien cómo ha sido!

Hunter se sentó en la cama, a mi lado. Las sillas brillaban un poco por su ausencia en aquel apartamento, y la verdad era que no las echábamos de menos. La cama era nuestro centro de operaciones.

—Joe me convocó en su despacho. Llevaba unas semanas algo abatido por el abandono de Joanne, nuestra salvavidas. Y me dijo que había pensado mucho en mi propuesta y que no me iba a dejar marchar tan fácilmente. Que no podíamos abandonarlo los dos a la vez.

Hunter le había dicho a su jefe que quería abandonar el trabajo de campo. Que quería formar a nuevos guardaespaldas, no ser uno de ellos. Los dos sabíamos muy bien que si seguía haciendo ese trabajo pasaríamos mucho menos tiempo juntos, tal vez serían semanas enteras sin vernos.

—¿Y? —insistí, impaciente.

—Que lo había estado meditando y que le parecía una idea genial. Que empezaríamos a formar a nuevos profesionales y que yo dirigiría ese área de negocio. Y lo haremos aquí mismo, en Manhattan. Ya está buscando una nueva oficina para empezar a organizarnos. Pero eso no es todo...

A mi novio le brillaban demasiado los ojos cuando tenía buenas noticias.

—¿No?

—No solo voy a reclutar y formar a nuevos guardaespaldas. Voy a co-dirigir el negocio con él, Kelly. Con la marcha de Joanne, dice que me necesita más que nunca. Y eso supone una suma muy importante de dinero.

Lo abracé. Sabía lo importante que era para Hunter poder mudarnos a un apartamento más grande.

—¿Y tú? ¿Qué tal tu día, cariño?

—Oh, nada excitante comparado con lo tuyo. Pero he escrito unas seis páginas.

—Eso es fantástico.

Me sonrió.

—¿Ya? —preguntó.

—¿Ya, qué?

—¿Puedo ya abalanzarme sobre ti?

No esperó mi respuesta. Hunter me abrazó, haciendo lo que tanto me gustaba, aprisionarme debajo de su cuerpo, inmovilizarme con un mínimo movimiento de sus manos. Y mientras estas se aferraban a mis muñecas, su lengua se hundía en mi cuello, entre mis pechos.

Y yo me sentía colmada.

Y protegida.

Muy protegida.

El yate del deseo
Millonarios de Manhattan #4
Elsa Tablac

CAPÍTULO 1

JUDY

—Yo no voy —le susurré a Celeste—. Además, ya sé lo que va a pasar. Constantine me mareará, me hará enseñarle hasta el último de los rincones del maldito barco, hará alarde de sus millones y luego no cerrará el trato. Seguro.

Celeste parpadeó, sorprendida.

—¡Como si pudieses escoger a los clientes, querida! —contestó irónica—. Me temo que si Cedric Constantine le pide a Burt que tú le enseñes el yate no te va a quedar más remedio que trasladar tu precioso y entrenado trasero a Chelsea Piers y hacer de guía turística.

Dejé el sándwich sobre mi escritorio. Se me había quitado el hambre.

Agarré la pelota antiestrés y la apreté dentro de mi puño, imaginando que aquella era la cabeza del maldito Cedric Constantine.

Celeste me miró, riéndose. Estaba disfrutando de cada minuto de todo aquello.

—Oh, vamos, Judy. ¡No es para tanto! Tenemos clientes mucho más odiosos que Constantine, y lo sabes —se inclinó hacia mi mesa como si fuera a compartir un secreto—...y muchísimo menos atractivos.

Mi gruñido de desesperación sonó más alto de lo que pretendía.

Celeste decía todas esas cosas porque no tenía toda la información sobre la intrahistoria entre Cedric Constantine y yo. A pesar de que era mi compañera de trabajo en la empresa de yates de lujo en la que trabajábamos desde hacía tres años —las dos empezamos el mismo día como responsables comerciales—, lo cierto era que no sabía todo sobre mí, y eso que pasábamos juntas al menos ocho horas al día en un pequeño despacho que compartíamos en Lower Manhattan.

Lo de que las dos seamos "responsables comerciales" puede sonar a título totalmente inventado, o a que ella era mi jefa y yo la suya, pero en el sector del lujo en el que nos movemos a nuestros clientes no les gusta tratar con simples comerciales, que es lo que somos.

Vendedoras.

No.

Ellos necesitan que los atienda una *account manager*. Una jefa de ventas. Una responsable comercial. Una máster del universo.

Así que ese es el bonito subtítulo que nos había dado Burt, nuestro *amado líder*, el mismísimo día que nos contrató, aunque ni Celeste ni yo sabíamos prácticamente distinguir un yate de un velero. A estas alturas la cosa ha cambiado, obviamente.

Me levanté de la mesa para huir de la mirada juguetona e interrogante de Celeste.

—Voy a hidratarme —le dije.

—No te escapas, Judy. ¡Quiero que me cuentes todo a tu vuelta!

Me dirigí enfurruñada al triste depósito de agua mineral que Burt había instalado después de mucho suplicarle. A veces me parecía increíble que trabajásemos en el sector del lujo y tuviésemos los clientes que teníamos. Aquella era una oficina pobre con mobiliario pobre. Y demasiado gris.

Por ese motivo —sospechamos— Burt nos tenía terminantemente prohibido que nos reuniésemos con nuestros clientes millonarios en aquel cuchitril de despacho. Como solo comerciábamos con embarcaciones, la mayoría de nuestras transacciones y reuniones se hacían en el Chelsea Piers Marina, el puerto del norte de Manhattan en el que solían estar nuestros barcos. De vez en cuando recurríamos también a los bares de los hoteles.

En definitiva, todo era una gran farsa que solo se sostenía porque Burt Thompson, el jefe, no pagaba mal del todo, apenas aparecía por allí y, en general, solía dejarnos en paz a Celeste a mí.

Lo que me fascinaba era que a mí me asignase ciertos clientes que mi compañera no tenía. Burt decía repetidamente que yo era una representante excelente, pero una vez le oí decir a uno de sus amigos que mi larga melena rubia y mis pestañas conseguían firmas el triple de rápido de lo que nadie había logrado.

Por eso me asignaba a los clientes masculinos con más poder adquisitivo, que generalmente tenían edad para ser mi padre.

No era el caso de Cedric Constantine, por cierto.

Cedric era un empresario de muy buen ver, un emprendedor del que ya se hablaba en los círculos empresariales de Lower Manhattan.

Guapo, pero odioso.

Y el motivo por el que estaba en mi punto de mira era bastante evidente: le había dicho a Burt que yo había hecho una entrevista de trabajo en su cadena de joyerías. Constantine era una empresa en expansión y yo, hacía un año, andaba buscando trabajo por una pequeña pataleta.

No lo vi en la oficina cuando acudí a aquella entrevista.

Me entrevisté con una persona de Recursos Humanos que, evidentemente, no era él.

Y no solo tuvieron el poco acierto de no contratarme, sino que además Cedric Constantine le dijo a Burt, mi jefe, saltándose cualquier decente código de discreción laboral, que yo había hecho una entrevista de trabajo en su empresa. No sé en qué contexto fue ese chivatazo, pero a mí me trajo problemas.

Para empezar me costó una discusión con Burt, un drama totalmente evitable, y, por supuesto, mi odio eterno hacia el tal Constantine.

Así que el hecho de que ahora, de repente, al señor C le apeteciera un yate y hubiese pedido expresamente que yo se lo enseñase me parecía un despropósito, una cruel burla de Satán.

Porque eso era Cedric Constantine para mí.

El *maligno*.

Por muy atractivo que fuese —siempre según Celeste. Eso era evidente.

Pero ser guapo es muy compatible con ser un auténtico tiburón, y eso en nuestro mundo, por desgracia, eso está muy a la orden del día. Me acerqué a la ventana y contemplé el tráfico que sorteaban las hormiguitas al fondo, en la calle. Supongo que seguía maldiciendo entre susurros, porque de repente oí a Celeste a mi espalda. Había entrado en la oficina sigilosamente.

—¿Aún no has salido?

—¿Qué? ¿Dónde?

—Al puerto, Judy —consultó su reloj de pulsera—. Tu reunión con Constantine es dentro de hora y media. Y no creo que quieras aparecer así vestida.

Ese era nuestro pequeño placer culpable.

Dado que Celeste y yo estábamos solas en la oficina-cuchitril, hacía tiempo que habíamos decidido vestirnos, díganos, informales. Muy informales. Sudaderas, pantalones de yoga, camisetas gigantes. Así nos movíamos Celeste y yo entre las mesas hasta que salíamos a retomar nuestra vida social o hasta que teníamos que desplazarnos al puerto o a alguna reunión en un hotel cuyas copas no podríamos permitirnos si tuviésemos que pagarlas nosotras mismas.

Miré a mi compañera, totalmente desubicada.

—Es el jueves —balbuceé.

—¡Judy! Dios mío. Estás fatal. ¡Hoy es jueves!

Mi alarma interna saltó como un resorte.

—¿Qué? Creía que era el jueves próximo.

Celeste negó con la cabeza. Aquella mañana estaba especialmente irritable. Demasiado condescendiente y demasiado cínica. Pero pasando tantas horas juntas habíamos aprendido a tolerarnos y a saber cuándo debíamos desaparecer de la vista de la otra.

—No —insistí, aunque ya sabía que estaba en lo cierto—. No, no, no. No me digas eso.

—Tú has escuchado el mismo audio que yo, ¿no? Burt recalcó que la cita con Cedric Constantine era directamente en el barco que le interesa, hoy a la una. Y supongo que no querrás ir vestida así.

Dejé caer la cuchara que acababa de hundir en uno de mis yogures y salí disparada al baño, donde debía cambiarme, maquillarme y peinarme a toda velocidad. Burt no toleraba la impuntualidad en su negocio y yo no tenía tiempo para lamentarme de mi desdicha ni para seguir atendiendo las monsergas de Celeste.

Me arreglé a toda velocidad.

Salí corriendo de la oficina al cabo de diez minutos, vestida con un elegante traje de falda, blusa color *beige* y *blazer* negro; y detuve un taxi en Canal Street. Si todo iba bien, es decir, si el tráfico matutino de la zona este de Manhattan nos acompañaba, llegaría al puerto en unos veinticinco minutos.

Dentro del taxi revisé la documentación del yate en el que estaba interesado Constantine.

No está nada mal, pensé. Un *All Oceans* valorado en ocho millones de dólares. Eso era mucho dinero. ¿Tanto había progresado Constantine en los últimos años?

Conocía muy bien ese barco porque se lo había enseñado hacía solo diez días a un magnate neozelandés. Finalmente no hubo acuerdo, pues se decidió por otra naviera cuyo producto nosotros no comercializábamos, pero respiré aliviada al asegurarme de que era exactamente ese barco. Conocía muy bien todos los detalles del All Oceans porque los había estudiado hacía poco.

Esto es pan comido, me dije, complacida. *Le colocaré el barco a Constantine y me llevaré una buena comisión.*

En mi experiencia, si el cliente nos preguntaba por un barco específico, era porque su interés en ese en concreto era más que firme.

Cerré la carpeta que contenía toda la documentación y la guardé en mi macro bolso.

Nunca disfrutaba de esos pequeños trayectos en taxi por la ciudad, y era un craso error. Era fascinante observar a los transeúntes caminando, en su mundo, ajenos a los millones de estímulos que los rodeaban.

En ese momento sonó mi móvil. Eché un vistazo a la pantalla. Era Celeste.

—Querida —me dijo.

—Dime que se ha cancelado la reunión.

—No. No. Nada de eso. Burt me ha llamado para que te recuerde que nada de rebajas en el precio. El *All Oceans* es innegociable. Ocho millones trescientos cincuenta mil. Ni un dólar menos. Y me ha advertido que es muy posible que Constantine intente regatear con el precio.

—¿Y se puede saber por qué nuestro amado líder no se comunica conmigo directamente?

Celeste no tenía la respuesta para esa duda existencial, pero en realidad mi pregunta era algo redundante.

Burt no me llamaba simplemente porque prefería llamar al teléfono fijo de la oficina y de paso asegurarse —mediante una burda excusa—, de que al menos una de las dos estaba siempre en la trinchera.

—Ni idea —contestó Celeste—. Yo solo soy la mensajera. Ya sabes: ¡nada de rebajas, Judy! ¡Tú, dura ahí!

Colgué el teléfono. Ya oía las gaviotas revoloteando por el puerto, tratando de avistar a su próxima presa.

Y yo misma me sentía como una de esas presas, un pececillo que nadaba renqueante y tranquilo, a punto de ser devorado por el tiburón de Cedric Constantine.

CAPÍTULO 2

CEDRIC

La veía ya en la cubierta principal del yate *All Oceans*, esperándome. No había gafas de sol que pudiesen disimular y mucho menos ocultar la belleza de Judy Collins. Ese era su nombre, y ella era exactamente la persona que, según Burt, me guiaría en la compra del barco.

El yate estaba bien, no lo había visitado personalmente todavía, pero había logrado hacer una visita virtual en la web de la naviera fabricante. Pero ese no era el principal motivo por el que había solicitado una reunión con Judy allí mismo.

Judy.

Aún no había pronunciado su nombre en voz alta, pero Burt sabía exactamente de quién le hablaba cuando solicité la presencia de la responsable comercial rubia que me había encandilado cuando la vi aparecer en mi propia oficina, dispuesta a hacer una entrevista con Jesse, mi director de Recursos Humanos.

Ella no me vio a mí. Por suerte, supongo.

Una desgracia personal y algo de lo que ahora me arrepiento: a pesar de que soy el CEO de la compañía, es mi departamento de personal el que se encarga de llevar a cabo las contrataciones y de seleccionar a nuestros nuevos empleados. Y Jesse no solo decidió no contratar a Judy, sino que Burt se acabó enterando de que una de sus empleadas "estrella" estaba moviendo su currículum por ahí.

Fallo mío.

Lo reconozco. Fue una bravuconada, una estupidez decirle a Burt que Judy Collins había hecho una entrevista para nosotros. No podía enfadarse demasiado, pues mi empresa especializada en joyería de diseño no era exactamente su competencia; pero mi intención, creo, era en el fondo buena.

Quería hacerle entender a Burt que debía sacar de una vez por todas a esas chicas de esa horrenda oficina y proporcionarles el espacio que se merecían. Que de lo contrario se buscarían la vida en otro sitio. Le causé un disgusto, pero supongo que le dio que pensar.

Y en cuanto a Judy, ya buscaría la manera de encontrarme de nuevo con ella y sacarla de ese sitio si era lo que ella quería.

Encontrarme con ella, por fin.

Preferiblemente a solas.

—¿Le espero aquí mismo, señor? —me preguntó Louis, mi chófer.

—No. Puedes descansar un rato. Te llamaré cuando esté listo para volver —le indiqué—. No creo que regrese antes de una hora.

Depende de cómo se me dé Judy Collins, pensé. Aunque, por supuesto, no iba a compartir mis más oscuros deseos con uno de mis empleados, aunque fuese, como Louis, de mi absoluta confianza.

El objetivo era claro: conseguir que me perdonase por aquel malentendido de la entrevista, aquella maldita indiscreción, y ofrecerle de nuevo el puesto al que había optado. Había hablado con Jesse y me había sentado con él para revisar a fondo el currículum de Judy.

No tenía experiencia en el sector, pero al parecer le interesaban mucho la moda y los complementos. Y me constaba que era una buena comercial; una profesional hábil y que aprendía rápido. Podía ser una excelente incorporación. Trabajaba en el sector del lujo y además iba a poder observar sus dotes comerciales *in situ*, en primera persona.

¿Y el barco? Oh, sí.

Compraré el barco.

Eso ya estaba más que decidido.

Le sentará fenomenal.

Eso era lo que ella aún no sabía. Iba a venderme el yate en el que luego, si todo iba según mis planes, se contonearía para mi absoluto disfrute.

Vas a ser mi reina, Judy Collins.

Esa fue mi afirmación antes de acceder al barco por la pasarela.

Y mis afirmaciones siempre se cumplen.

No suelo ponerme nervioso ante nada ni ante nadie, así que me molestó aquel súbito temblor que se apoderó de mi mano derecha al agarrar la cuerda de sujeción de la pasarela.

—Señor Constantine, es todo un placer.

—Por favor, llámame Cedric.

Me encontré con su mano extendida. Aséptica y profesional.

Voy a derretir todo ese hielo antes de que vuelvas a pisar tierra firme, pensé.

—Judy —dijo ella.

—Judy. Sí. Lo sé.

Arqueó las cejas.

—¿Nos conocemos?

No perdió su sonrisa corporativa mientras me analizaba de arriba a abajo, en silencio.

—Tal vez nos hemos visto en alguna ocasión —contesté.

—Sí. Tal vez. De lejos, ¿no? ¿En algún evento?

Dio un pequeño paseo en círculo por la cubierta principal del espectacular yate. ¿Mi presencia la incomodaba? Eso era preocupante. Me constaba que Judy Collins tenía bastante experiencia en cerrar ventas de ese tipo y que era una enciclopedia andante en lo que a yates de lujo se refiere.

Carraspeó, aclarándose la voz, y a continuación me soltó una retahíla de datos técnicos del barco. En realidad, era una mezcla de cuestiones específicas y bondades que debían animarme a confirmar la compra allí mismo, en ese primer encuentro. Algo que, me temía, no iba a pasar. Por el simple hecho de que no iba a poner todas mis cartas sobre la mesa en una primera reunión.

Necesitaba ver a Judy Collins muchas más veces.

A poder ser, todas las mañanas al despertarme durante el resto de mi vida.

Dejé que hablase, que me contara todo lo que creyera relevante sobre el barco que ya conocía y que, de todas formas, ya había presupuestado.

Paseamos hacia la cubierta trasera y allí subimos por la escalera hasta el piso superior. Después volvimos a bajar y recorrimos los cuatro camarotes, la pequeña piscina, la sala de mandos y la bodega.

De repente, Judy se detuvo y consultó por primera vez los papeles que llevaba en su carpeta.

—Me temo que se me ha olvidado por completo decirte el año de construcción. Aquí está: 2019. Prácticamente nuevo, como ves.

—Es una nave espectacular.

—Sí, lo malo es que estamos atados de precio y sé que esos ocho millones tiran para atrás.

El dinero había aparecido repentinamente en nuestra conversación. Aquella chica iba al grano.

Llegamos de nuevo a la cubierta superior, la más espectacular del *All Oceans*. Me apoyé en la barandilla y observé a Judy. Supuse que ya podíamos acabar con todas aquellas formalidades. No tenía la menor idea de si aquella mujer estaba libre, pero me di cuenta de que eso me daba exactamente igual. Iba a ser mía, sencillamente porque no imaginaba otra posibilidad.

—Recuérdame la cifra exacta —le dije.

—Ocho millones trescientos mil.

Asentí.

—De acuerdo. Dame unos días para resolverlo, pero te pediría que no se lo enseñases a nadie más, Judy.

Me observó, sorprendida. Claramente la había pillado desprevenida. Imaginé que ya estaba preparada para que yo regatease un poco el precio.

Pero lo cierto era que trescientos mil, un millón arriba o abajo, no son un problema para mí. Por suerte, dirían algunos. Pero no. No ha sido suerte. Han sido años de tesón y, sobre todo, de tomar las decisiones adecuadas. Y de estar en el momento preciso y en lugar que me correspondía en todo momento.

La miré.

En ese momento se le escapó una tímida sonrisa.

—Judy, ¿podemos aparcar el tema del yate un segundo?

—¿Aparcar?

—Mi decisión sobre la compra ya está tomada. Me interesa este barco desde hace un tiempo y no quiero que se lo enseñéis a nadie más, eso es todo. Mi secretaria te llamará para acordar una última visita, si no te importa, y para concretar los plazos de los pagos.

—Oh...está bien.

Sonrió de nuevo. Era evidente que estaba algo más relajada.

—En realidad quería pedirte disculpas —dije.

Abrió mucho sus enormes ojos claros.

—¿Por qué?

—Por ese proceso de selección fallido. Hace un par de meses, cuando te presentaste en la sede de Golden Bijoux para una entrevista de trabajo.

Se alejó unos pasos y se puso de perfil, de cara al mar.

—Bueno, entiendo que no encajé con el perfil que buscabais. Y a decir verdad, me encanta mi trabajo. Estoy muy contenta y muy agradecida con Burt. Me gusta acudir a entrevistas de trabajo esporádicamente para no perder práctica y...

—Judy.

Me miró.

—No estuve en ese proceso de selección —dije—. No participo de ellos. Hace mucho que delegué sobre ese asunto en mi equipo de recursos humanos.

—Por supuesto. Lo entiendo.

—No es por eso por lo que pretendo disculparme, Judy.

—¿Entonces?

—Creo que lo sabes muy bien. Fui un bocazas. Con tu jefe. Con Burt. Coincidí con él una noche en una partida de póker y dejé caer que habías hecho una entrevista para nosotros y que, por motivos que no me explico, no había llegado a buen puerto. Es por eso por lo que te pido perdón, Judy. Fue muy desafortunado. Me importa, eso es todo.

Respiró hondo.

—No me hizo demasiada gracia y no lo entendí muy bien. Pero supongo que ya da igual, Cedric. No me gustaría que eso entorpeciera mi trabajo ahora mismo.

La miré a los ojos.

No me mantuvo la mirada ni dos segundos. Dios, qué metedura de pata. Aquello había debido de molestarle muchísimo.

Me acerqué un poco. Me moría de ganas de besarla y tal vez había quemado mi última nave.

—Te prometo que lo del yate está fuera de todo esto —dije.

—Está bien —Judy forzó una sonrisa y se encaminó hacia la escalera que nos devolvería a la cubierta inferior—. Disculpas aceptadas.

Podía oler su incomodidad a leguas.

—¿No quieres saber por qué se lo dije?

—Sinceramente, no.

—Sé lo de vuestra oficina. Sé que vuestros ascensores se estropean continuamente y que Burt no os permite recibir allí a clientes. Creo que él os puede proporcionar un sitio mucho mejor. Dios, incluso trabajando desde casa estaríais mucho mejor.

Me miró, sin saber muy bien qué decir.

—Agradezco tu preocupación, pero solo somos Celeste y yo trabajando allí. Y estamos bien. Supongo.

—Esa es otra. Solo dos personas para semejante volumen de negocio. Burt es un cabrón. Nunca me ha dado buena espina.

Judy se encogió de hombros.

Bajamos la escalera.

Haz algo, rápido. La has cabreado y si no reaccionas pronto, esta chica se te escapa, Constantine; pensé.

—¿A ti te gusta? —le pregunté entonces.

Judy se detuvo en mitad de la pasarela que nos devolvía al muelle. Se giró para mirarme. Contemplé su rostro, ya en la sombra.

Me gustaba. Aquella chica me gustaba mucho. Tenía carácter. No se amilanaba ante alguien con poder. Y eso significaba que era una de las mías, que ella podría ser perfectamente la mujer con la que soñaba en secreto desde hacía tanto tiempo.

—El qué.

—El yate. Este yate.

Me miró extrañada, como si no entendiese bien la pregunta, o como si se preguntara por qué exactamente debía importarme su opinión personal.

—Sí.

—Perfecto. Contactaré contigo en los próximos días para cerrar la venta. Es importante que te guste a ti, Judy.

—¿Por qué?

—Porque mi plan es que me acompañes hasta las Bahamas. Que navegues conmigo.

CAPÍTULO 3

J UDY

Caminé indignada hacia la parada de taxis más próxima al Chelsea Pier. Sospechaba que si me hubiese quedado un minuto más delante de Cedric Constantine y su inmensa desfachatez le habría abofeteado. O peor, lo habría besado.

¿Navegar con él?

¿Qué había querido decir exactamente?

¿Por qué no entendía que yo estaba allí porque no me quedaba más remedio?

¡Porque aquel era mi maldito trabajo!

Era raro. Todo era raro. Aquella disculpa, que a pesar de todo me había sonado sincera. Que estuviese dispuesto a pagar hasta el último céntimo del precio de aquel yate. Que hubiese insistido en que nos encontrásemos otra vez, para hacer una segunda —y supongo que definitiva— visita al yate.

Me acomodé en la parte trasera del taxi y traté de serenarme. No había aceptado la invitación de Cedric de volver a la oficina en su coche. En cuanto noté su mirada y comprendí la verdad de sus palabras y de su intención, *"que navegues conmigo"*, supe que aquel hombre hablaba totalmente en serio.

El taxista me observaba a través del espejo retrovisor.

—¿Entonces?

—¿Perdón?

—Señorita, le preguntaba dónde la llevo.

Le di la dirección de la oficina. Iba a ser uno de esos días en lo que más me valía volverme a casa y meterme debajo del edredón, porque iba a ser incapaz de prestar atención a nada.

Cuando llegué me encontré con una nota de Celeste que decía que había salido a reunirse con un posible cliente. Fue un alivio, la verdad. No tenía demasiadas ganas de contarle qué tal había ido con Constantine, algo de lo que sin duda estaría ávida. Sobre todo por el inquietante dominio de mis emociones.

Siempre aparcaba mis sentimientos en la puerta de aquella oficina, y por supuesto cuando estaba sobre algún barco, en el puerto. Y sin embargo esa mañana estaban todos del revés.

Conocía muy bien aquella sensación, aquel peligro inminente: estar a punto de obsesionarme con un hombre. Hacía años que no me pasaba, esa era la verdad. Y el primer síntoma ya estaba allí: no tenía hambre. Sentía un molesto obstáculo en la boca de mi estómago.

Fui a la cocina y busqué en la nevera algo calórico. Chocolate, queso. Lo que fuera.

Y lo peor de todo era que mi corazón ciego había escogido a un hombre arrogante que creía que yo iba a quedarme permanentemente sobre la cubierta de su nuevo barco.

Que era parte de la transacción.

Y lo que me debería parecer repulsivo era en realidad lo que más deseaba.

CAPÍTULO 4

JUDY
—Llevas tres minutos moviendo esa cucharilla —me dijo Celeste mientras se estiraba como un gato junto a la puerta de nuestro despacho—. ¿No te has dado cuenta?

Estaba absorta, contemplando el tráfico al lado de la ventana.

La miré y asentí.

—¿Bizcocho?

—No, gracias. Hoy no tengo demasiada hambre.

Mi compañera me observó.

—¿Todo bien?

—¿Qué?

—No, es evidente que no. Llevas unos días ausente, Judy.

Habían pasado tres larguísimos días desde mi perturbador encuentro con Cedric en el puerto y no había vuelto a tener noticias suyas. Estaba entre sorprendida, indignada y muy inquieta. Observé el calendario que teníamos colgado en la pared.

Esa mañana había tenido muy presente "la regla de los cuatro días". Ese era el tiempo que, según Burt, debíamos dejar pasar desde que teníamos un primer encuentro con uno de los compradores hasta que hacíamos una primera llamada de contacto para tantearlo, para asegurarnos de que el cliente seguía interesado en uno de nuestros yates.

Como si me leyese la mente, Celeste me dijo:

—No me has contado nada de tu reunión con Constantine del otro día. ¿Lo viste interesado?

—¿Interesado en el barco?

Celeste se rio.

—Por supuesto.

—Sí.

—¿Entonces? ¿Vas a llamarlo ya para cerrar la venta?

—Hasta mañana no se cumplen los cuatro días.

Celeste se rio.

—¡Judy! ¿Aún sigues esa absurda norma de Burt?

—No es una de las peores, ¿sabes?

Celeste descolgó el auricular del teléfono en mi mesa y me lo ofreció. Después se sentó en el borde. Normalmente me echaría atrás ese tipo de presión intimidatoria, pero pensé que debía seguir el impulso y el consejo de mi compañera y cerrar la venta de aquel maldito yate de una vez por todas. Y después pasar página en lo que respectaba a aquel hombre.

Busqué en el cajón de mi mesa la tarjeta de Cedric Constantine y marqué el número de teléfono que aparecía en ella.

El corazón me latía a mil por hora. Una nueva señal de que aquel hombre lo había tocado irremediablemente.

Oí dos, tres tonos.

—Nada —susurré a Celeste.

De repente, un clic en la línea.

—¿Sí?

Era una voz femenina.

Una súbita tristeza me invadió.

—Perdón, creo que me he equivocado. Estoy llamando a Cedric Constantine.

—Sí, este es el número correcto. ¿Puedo preguntar quién lo llama?

Dudé un instante.

—Soy Judy Collins. Le enseñé un yate al señor Constantine hace unos días y necesitaba hablar con él para...

—Ah, sí. Lo tengo por aquí apuntado. Un segundo.

—Disculpe, ¿con quien hablo?

—Oh, soy Alice, la secretaria de Cedric.

Me sorprendió que de repente usara su nombre de pila. Oí cómo removía unos papeles al otro lado de la línea.

—Ah, sí, aquí está. Todo está *ok* con el yate, Judy. Le encantó. Me aseguró que cerrará la venta en los próximos días.

—Aún así, ¿puedo hablar con él?

Hubo dos segundos de silencio. Y después:

—Lo siento, pero Cedric se ha marchado de viaje.

—Oh...

Aquello era desconcertante. Constantine era a todas luces uno de esos hombres volátiles e impredecibles. Es decir, uno de los que conviene tomar distancia.

—¿Cuándo vuelve? —pregunté, tragando saliva.

Mi garganta estaba seca y me di cuenta de que tendría que haber bebido agua antes de hacer esa llamada.

—Pues...se marchó hace tres días. Y esta vez no nos ha dicho dónde ha ido. Siento no poder ser de mucha ayuda, pero...Judy. Me dejó una nota aquí. Expresamente por si llamabas.

—¿Una nota?

—Solo pone que todo lo que acordó contigo sigue en pie. Y que pronto se pondrá en contacto. Supongo que te pidió que no mostraseis el yate a nadie más, ¿no?

—Sí, pero eso no es problema.

—Entonces es que está verdaderamente interesado —añadió Alice—. Conociéndolo...no tengo la menor idea de su paradero, pero debes estar a punto de tener noticias suyas.

CAPÍTULO 5

CEDRIC

Un pequeño imprevisto hizo que mi plan de conquista de Judy Collins se viese levemente alterado.

Solo unas horas después de dejarme temblando sobre el muelle dos del Chelsea Pier recibí una llamada urgente de Phil Burton, uno de mis socios, que requería mi presencia a la mayor brevedad posible en una de nuestras tiendas en Miami. Íbamos a recibir a una noble europea y lo más adecuado era que yo estuviese presente y la acompañase en la elección de alguna de nuestras joyas.

Cuando acompañé a la dama a través de nuestros aparadores, la elegante duquesa Mirtha agradeció especialmente mi presencia y escogió algunas de nuestras joyas para sus parientes más cercanos.

Me alegré de estar allí para atenderla. Me recordaba a mi madre. Era una versión sofisticada de la mujer que me había criado en un entorno humilde y que aún no se podía creer lo lejos que había llegado su hijo menor.

Pero ya estaba de regreso en Manhattan.

Iba a conseguir de una vez por todas el barco y la chica.

Pero lo que me interesaba en realidad era ella, por supuesto. Judy Collins.

Me constaba que me había llamado, solo unos días después de nuestro encuentro. Así me lo hizo saber Alice, mi secretaria, tal y como le había pedido.

Jamás pretendí que Judy se sintiese incómoda, así que esa mañana, de nuevo, estaba doblemente nervioso. Nuestros comienzos habían sido turbulentos, no es fácil avanzar con alguien cuando debe perdonarte algo desde el principio.

153

Esa mañana ella estaría en el barco, cerraríamos la venta allí mismo, y yo solo esperaba encontrarme de nuevo a solas con ella. Ni siquiera acudía al encuentro acompañado de alguno de mis abogados. Había pedido que nos enviasen una copia de toda la documentación de la transacción directamente a mi despacho, y que mi equipo la revisara un día antes.

Y así se hizo.

Todo estaba bien.

Quería firmar aquellos papeles y destruir cualquier relación comercial que hubiese entre nosotros. Asegurarme de que Judy no me guardaba ningún rencor.

Subí al *All Oceans* despacio.

La vi sobre la cubierta, de espaldas a mí. Una melena rubia insolente se agitaba en el viento, libre y despeinada. Me pregunté al instante si el floreado vestido que Judy llevaba puesto ese día era algún tipo de declaración de intenciones. Sobre su brazo descansaba una americana de color blanco.

Se giró al oír mis pasos sobre la cubierta de elegante madera oscura.

Admiré la belleza que irradiaba incluso estando semioculta bajo sus enormes gafas de sol.

Pero no era solo belleza. Era algo más, algo irresistible. Una energía que me arrastraba hacia su cuerpo sin que yo pudiese hacer mucho por evitarlo.

Me asustó aquella intensa atracción.

Necesitaba saber lo antes posible si era mutuo —o si había alguna posibilidad de que fuese mutuo— y actuar en consecuencia. No estaba allí para perder el tiempo.

—Cedric —dijo, extendiendo su mano.

Yo la agarré y la atraje con suavidad hacia mí. Nuestros cuerpos se inclinaron de forma natural. Rocé su mejilla con mis labios. ¿Demasiado informal? Me daba exactamente lo mismo. Deseaba el máximo contacto con ella y además estaba a punto de firmar un cheque por valor de ocho millones y pico de dólares, de los que, imagino, ella se llevaría un pellizco.

Su mano se quedó entre mis dedos unos segundos más de lo que hubiese sido correcto entre dos desconocidos que se encuentran por segunda vez y que tienen que cerrar un acuerdo comercial.

—Siento la desaparición —le dije—. Tuve que marcharme a Miami repentinamente. Asuntos de trabajo. Pero Alice me dijo que me llamaste. Y aquí estoy.

Señalé la lujosa carpeta de cuero que Judy había dejado sobre una de las mesas que rodeaba la cubierta principal.

—No era tan urgente —dijo, exhibiendo una sonrisa—. Podía esperar unos días más.

Suave.

Como si nuestro pequeño conflicto hubiese quedado definitivamente enterrado en el pasado. Pero necesitaba saber si Judy había pasado esa página o solo iba a ser amable hasta que obtuviese mi firma.

Nos sentamos.

El cielo sobre Manhattan estaba despejado y el mar estaba en calma.

—¿Dónde firmo?

Me miró sorprendida. Se quitó las gafas de sol y las guardó en su bolso, y eso me permitió contemplar sus increíbles ojos verdosos.

No quería bajar de aquel barco sin ella.

No quería bajar nunca de aquel barco.

—Una firma en cada página, pero...

La observé, dispuesto a escuchar con atención cada palabra que pronunciase.

—¿No vas a leerlo? —preguntó.

—No. Mi equipo legal ya se ha encargado de eso, por eso os hemos solicitado una copia por adelantado. Me parece todo bien, Judy. Esto es solo una mera formalidad. Supe que este barco sería mío en cuanto puse un pie en él. Literalmente.

Firmé en todos los sitios que ella me iba indicando con el dedo, ornado con una perfecta manicura. Mientras, me embelesaba con su olor. Era un perfume dulce y sutil, de esos que se colocan estratégicamente. Y no podía esperar a averiguar en qué otros puntos de su cuerpo había caído.

—Este es el acuerdo más...

—¿Fácil?

Sonrió.

—Yo no diría exactamente fácil. Pero sí rápido. Normalmente nuestros clientes necesitan más tiempo para hacer una transacción de este tipo.

La miré fijamente.

—Yo no soy uno más de tus clientes, Judy. Supongo que a estas alturas ya te has dado cuenta.

Terminé de estampar mi firma en todas las hojas que ella señaló. Por último, firmé el cheque que Alice había preparado y se lo extendí.

—Tengo una pregunta —dije.

—Claro, las que quieras.

—¿El yate es mío desde ya?

Ella cerró la carpeta con el acuerdo. Parecía satisfecha.

—Es tuyo.

—¿Me esperas aquí un segundo? —pregunté—. Voy a hacer una llamada rápida.

Judy asintió.

—Sin problema. Yo voy a enviar un email rápidamente.

Aquel movimiento era arriesgado y tal vez innecesario. Pero no me podía resistir. Cogí mis gafas de sol y el teléfono móvil, me levanté y me fui al extremo más alejado en la popa del barco.

Marqué un número y envié a mi interlocutor un mensaje rápido y certero:

—El acuerdo está cerrado. El barco ya es mío. Por favor, que suba rápidamente mi equipo. Daremos un paseo ahora mismo.

CAPÍTULO 6

JUDY

Ya está, pensé. *Ya no es mi cliente. Ya puedo acercarme a él, o esperar a ver si él se acerca a mí o sale huyendo por esa pasarela.*

Observé a Cedric Constantine, al fondo de la cubierta principal, encarando la silueta de New Jersey, mientras hablaba por teléfono.

Yo acababa de cerrar mi ordenador portátil, con el que hice exactamente lo que Burt me pidió cuando me llamó aquella mañana mientras acudía en taxi al puerto. Que le enviase un mensaje o un e-mail en cuanto cerrase la venta del *All Oceans* con Constantine.

Esa mañana había estado más tranquila. Al menos hasta que Cedric había llegado. Había entendido, por fin, que todo estaba en mi imaginación, que no podía encapricharme de uno de nuestros clientes, especialmente de uno que me había sacado de quicio con aquella actitud inicial, petulante y poco profesional.

Se había disculpado, de acuerdo, había prometido que repararía su error, para acto seguido asegurarme que me llevaría a las Bahamas en aquel mismísimo barco. Por no hablar de su repentina desaparición.

Era un hombre imprevisible.

Y eso lo hacía aún más atractivo.

Pero yo estaba allí de nuevo para vender aquel armatoste y recuperar el apetito.

Cedric terminó su llamada y guardó el teléfono en el bolsillo interno de su chaqueta.

Me observó desde la distancia, pero no se acercó.

Al menos no en ese momento.

Supongo que quería contemplar mi cara de asombro —o de soberano cabreo— desde el otro extremo del barco.

No pasó ni un minuto desde que él terminó su llamada, en la que supongo que dio varias órdenes, hasta que oí rugir los motores del barco.

Me levanté de un salto.

De repente nos estábamos moviendo.

Me acerqué a la zona de estribor y vi como dos de los operarios del puerto deportivo retiraban la pasarela de acceso al yate.

—Pero qué demonios...

Cedric expandió aún más su sonrisa al ver mi cara de pánico.

Nos estábamos apartando del muelle. En ese momento supuse que si me bajaba de aquellos condenados tacones y daba un buen salto podría aterrizar en la realidad y alejarme de aquella tentación.

Pero no lo hice.

Me quedé pasmada, observando cómo nos alejábamos de tierra firme.

Cedric dio unos pasos en mi dirección.

—No te preocupes, Judy. Solo vamos a dar un paseo por la bahía. Quiero probar el barco. Y me gustaría que vinieras conmigo.

—Pero...quién...

—El equipo que se encargará de conducir esta máquina y mantenerla a flote ya está a bordo. Están abajo. No nos molestarán.

Se había quitado la chaqueta.

Cedric Constantine estaba sobre la cubierta de su flamante nuevo yate en mangas de camisa, mirándome como si yo fuese la última tarta de una confitería. El sol caía sobre nuestros cuerpos y el sonido del mar nos envolvía.

¿Estaba enfadada?

Deberías estarlo, Judy, pensé. *Y mucho.*

—Al menos podrías haberme preguntado si estaba libre después de nuestra reunión, ¿no crees? —le pregunté.

Me sorprendió mi tono de voz frío y desacompasado.

—Bueno. Sí, tienes razón, pero estoy al tanto de que en los próximos dos días estás libre.

—¿Cómo sabes eso, Cedric?

Imaginé que, una vez conseguida su firma y además teniendo en cuenta que me había secuestrado, tenía todo el derecho a llamarlo por su nombre de pila.

No contestó a mi pregunta. En su lugar me dijo:

—Te he observado, Judy. Estoy muy atento a todo lo que dices, a todo lo que haces. A cómo me miras.

Se acercó un paso más. Se humedeció los labios. Y continuó:

—Dime que me equivoco y volveremos a tierra en este mismo instante.

Cedric se plantó delante de mí, demasiado cerca. Su energía era intensa y envolvente, y a pesar de que su mano derecha reposaba junto a su cadera yo notaba la pugna por llevarla hasta mi barbilla, elevarla, hacer que nuestros ojos se encontraran y se dijesen la verdad. Que acabasen con aquella farsa que los dos habíamos instaurado.

Y fui incapaz de desmentirlo.

Mi respuesta fue un beso.

El beso que me quemaba desde hacía días, tal vez semanas, desde que supe de su existencia. Nuestras lenguas se enredaron en ese mismo instante, mientras nos alejábamos del cemento del mundo real y nos adentrábamos en la bahía.

—Judy. Oh, Judy. Esto es exactamente lo que quería —susurró—. No he dejado de pensar en ti desde que te vi de pasada en mi oficina. No me pude creer que no avanzara ese maldito proceso de selección. Necesitaba volver a verte...

Lo besé de nuevo. Lo devoré. Y observé cómo él respondía con la misma intensidad.

Nos desplazamos hacia la parte cubierta del barco, allí había una mesa que nos serviría de punto de apoyo.

Cedric empezaba a acariciarme mucho más allá de lo que mi vestido permitía, pero ya lo estaba viendo: iba a ser incapaz de pararlo porque lo deseaba tanto o más que él. Pero era consciente de que no estábamos solos en aquel barco. Había alguien abajo, manejando el timón, llevándonos hasta algún punto desconocido del Atlántico. Abrí la boca para tomar aire y para decir que, tal vez, deberíamos controlarnos un poco.

—Shhhhhh —susurró Cedric suavemente, acariciando mi cintura, subiendo peligrosamente hasta el pecho —. Si estás preocupada, tenemos tiempo, mucho tiempo por delante. No hay prisa..

—¿No hay prisa? —gruñí—. Si tan solo supieras lo difícil que es contener...

—Lo sé. Yo también estoy impaciente.

Sus manos habían recorrido mi espalda, buscando sin duda la cremallera del vestido. Eché un vistazo por encima de la barandilla del yate; buscando el teleobjetivo de un *paparazzi* inexistente. ¿Era seguro dejarme llevar allí mismo?

Dejé caer el vestido al suelo. Nunca había visto mi ropa deslizándose tan rápido por mis piernas. Cedric no perdió ni un minuto en quitarme el sujetador. *Es de esos*, pensé. *Es de esos hombres a los que no les importa lo más mínimo tu ropa, si llevas lencería cara o un simple sujetador deportivo. Lo que ansían es quitártelo todo.*

Cedric se relajó enseguida al ver mis pechos desnudos, pero solo un segundo; ya que se tensó de nuevo, lo pude ver en su cuello, vi cómo se revelaban allí las venas, producto de la tensión sexual que habíamos contenido.

Estaba alterado, tal vez demasiado y el hambre depredadora con la que me observaba me hacía sentir débil. Cuanto más me miraba con esos ojos suyos, más crecía la necesidad en mí. Hasta que no pude retenerla más.

Nos acomodamos a duras penas sobre el sofá de cuero blanco que rodeaba la media luna de la cubierta.

A cuatro patas, me arrastré hacia él y dejé escapar un gemido de aprobación. Sus ojos brillaron entonces como un relámpago. Me acerqué más y más, y cuanto más me acercaba, él más ronroneaba. Me senté a horcajadas sobre él.

No iba a haber demasiados preliminares. Eso estaba claro. Los dos necesitábamos ya consumir aquella pasión. Observé cómo el enorme miembro de Cedric se escapaba ya del pantalón, enhiesto y duro. Preparado para recibirme en toda su magnitud.

Me acomodé sobre él, dirigiéndolo hacia mi núcleo, sintiendo cada centímetro.

A decir verdad, ese primer contacto íntimo dolió, pero necesitaba ser valiente, confiar en que acabaríamos encajando a la perfección. Me detuve un segundo y después continué bajando por su mástil, decidida. Cedric echó la cabeza hacia atrás y gimió de una manera que jamás había oído. Exhaló con la boca entreabierta.

Paralizada, lo miré fijamente, observando su éxtasis. La mirada que me devolvió fue de pura lujuria, a través de sus ojos entreabiertos. Esa clase de mirada que te vuelve loca.

Empecé a mover mis caderas, a cabalgarlo. Acaricié su cabeza, enterrando los dedos en su pelo corto y oscuro. Luego las deslicé hacia su torso. *¿En qué momento se ha quitado la camisa?*, me pregunté.

Mi corazón iba a mil por hora mientras mis caderas se movían arriba y abajo, buscando la fricción, aquel contacto húmedo y resbaladizo que ya me había vuelto loca.

—Muévete más rápido —me dijo. Su voz sonó ronca e inflamada por el deseo —. No voy a poder contenerme durante mucho tiempo más.

Gimiendo, empecé a moverme más rápido. El sonido del cuero al movernos sobre él de forma tan imperante y agresiva era ya más que evidente. ¿Habría dado orden Cedric al nuevo capitán del barco de que no subiese a la cubierta superior bajo ningún concepto? Me moría si nos veían, si alguien nos descubría allí, casi a la intemperie, follando como dos desesperados.

Mis pechos se sacudían delante de la cara de Cedric y en ese momento él intentó atrapar mis pezones con su boca. Sus ojos tenían una expresión indescriptible, como si hubiese caído hipnotizado y su mente se hubiese quedado totalmente en blanco.

Aquello era pura lujuria.

Y supongo que parte de lo que estaba sintiendo venía del odio que, hacía solo unos días, había profesado hacia él.

En ese instante conseguimos el ritmo acompasado perfecto. Yo estaba desatada sobre su sexo, deslizándome sobre él como una loca. Manchándolo todo, probablemente. Cedric me agarró por la cintura para dirigir aún más mis movimientos.

—Ve de...despacio...Vas a...hacer que me caiga...—dije.

Era ahí.

Era el punto exacto.

Mi cuerpo se retorcía cada microsegundo que no estaba sobre su pelvis. Hice el amago de separarme de él. No podía resistir aquella sensación tan intensa. Por un segundo pensé que me desmayaría, y el vaivén de las olas no ayudaba precisamente.

—Quédate exactamente donde estás —gruñó Cedric y acto seguido jadeó, poniendo mis manos en su pecho para ofrecerme un punto de apoyo—. No vas a dejar esta polla.

—Por favor...— supliqué, tratando de mantenerme unida a él; pero estaba demasiado resbaladizo, demasiado caliente; y cuando hice un esfuerzo para engancharme a él dejé escapar un gruñido tan fuerte que seguramente sacudió aquel maldito yate.

Oh no, qué he hecho... Un agudo grito salió de mis labios cuando Cedric me cogió en volandas y me tumbó sobre el asiento de cuero. Se hundió de nuevo en mí sin perder un solo segundo, y yo me vi sorprendida por la ráfaga de calor que se acumulaba en mí.

Sin detenerse, él miró hacia el punto exacto en el que nuestra piel se unía. Y empezó a entrar y salir a toda velocidad, como si estuviese a punto de arder, de combustionar. Mi mandíbula batía, la inferior contra la superior.

—Córrete, Judy. Quiero que te dejes ir, ahora. Enséñame exactamente cuánto te está gustando esto, cuánto te gusta que te folle así.

Esas palabras acabaron conmigo y con mis últimos conatos de resistencia. Llegaron las convulsiones, corriéndome y jadeando a tal volumen que me olvidé del mundo, de que nos mecíamos ya en mitad del mar, perdiendo de vista los monstruosos edificios de Manhattan.

Y Cedric me siguió, vaciándose e inundándome al instante.

Mi cuerpo se convirtió en su dominio.

CAPÍTULO 7

JUDY

—Es rarísimo—me dijo Celeste.

Esa mañana no vestíamos el uniforme relajado habitual para la oficina. Burt estaba allí. Se había encerrado en el despacho que jamás utilizaba.

No nos había avisado de que ese día vendría a vernos. Siempre resolvía todo con nosotras por teléfono —nunca sabíamos con exactitud dónde estaba o desde dónde nos llamaba. Nuestro jefe era un poco como Charlie de *Los Ángeles de Charlie*.

—Esto me huele mal —susurré.

Mi compañera asintió.

Habían pasado tres días desde mi inolvidable encuentro con Cedric. Temblaba cada vez que lo recordaba, y eso que nos habíamos visto dos veces más. Dos citas inesperadas, elegantes, en las que me llevó a cenar a dos de sus restaurantes favoritos. No podíamos apartar los ojos del otro.

Al finalizar esos dos encuentros me dejó en casa, acompañándome él mismo con su chófer. Y la primera noche me sorprendió diciéndome:

—He decidido que voy a cortejarte, Judy. Permíteme que esta noche empiece un poco en la casilla de salida. Desde cero, contigo. Quiero conquistarte.

Me besó suavemente en los labios, imprimiendo sobre ellos algo que podría interpretarse como amor. Un amor que nacía fuerte.

Interpreté lo que quería decir:

Que quería ir despacio a pesar de lo sucedido en el yate.

Asentí.

Volver a la casilla de salida.

Acepté aquel juego, y tampoco se lo iba a poner tan fácil.

Yo tampoco estaba dispuesta a acelerar las cosas, sobre todo desde el momento en que me di cuenta de que aquello podía funcionar.

BURT ASOMÓ LA CABEZA por la puerta de su despacho. No había ni rastro de su habitual buen humor.

—Judy, ¿tienes un rato para hablar?

Uf.

Su voz sonaba a malas noticias. Celeste me lanzó una mirada alarmante.

Me levanté de mi mesa y me dirigí a su despacho. Cerré la puerta a mi espalda, porque intuí que se acercaba un pequeño terremoto. Francamente, era difícil de creer, sobre todo porque esa semana había cerrado la venta de no uno, sino ¡dos! yates. Entre ellos el *All Oceans* de Cedric. Burt tenía motivos de sobra para estar contento conmigo.

Y sin embargo, nada podía prepararme para lo que estaba a punto de decirme:

—Tengo una mala noticia, Judy. Siento decirte que hoy será tu último día en la empresa.

Si no fuese porque su cara era un poema le habría contestado en plan jocoso de inmediato.

Lo miré fijamente, esperando a ver si reía, si decía acto seguido que se estaba quedando conmigo.

Al ver que yo no hablaba, dijo:

—Lo siento de verás, Judy. Te daré tres meses de sueldo como compensación. Y por supuesto, tendrás una carta de recomendación

Me levanté de un salto. Notaba los latidos de mi corazón en la sien.

—Espera, Burt...¿esto es en serio?

—Lo siento.

—Pero, ¿por qué?

—Hace dos noches te vieron en el restaurante Sugar. Con Cedric Constantine. Y me consta que vuestra actitud iba algo más allá que la de un cliente y una comercial.

Pestañeé. No podía creer lo que estaba oyendo.

—Discúlpame, Burt. No entiendo nada. Cedric ya no es nuestro cliente. Cerré la venta hace tres días y si no me equivoco ya tienes esos ocho millones en tu poder.

Burt carraspeó.

—Cierto. No puedo recriminarte nada sobre eso, Judy. Pero ya conoces nuestra política respecto al hecho de establecer relaciones personales con nuestros clientes.

Ahora sí. Me estaba tomando el pelo, ¿no? ¿Qué maldita política? ¿De qué coño estaba hablando?

Respiré hondo, tratando de conservar la calma y mantenerme fría. Mi mente, sin embargo, iba a mil por hora. Algo me decía que allí había gato encerrado.

—Repito, Burt: ya no es nuestro cliente. Creo que estás siendo injusto.

—Oh, vamos, Judy. No seas ingenua. Esos millonarios de Manhattan se conocen todos. Ya lo debes saber, ¿no? Seguro que Constantine te lo ha contado.

Me quedé callada.

No podía creer lo que estaba oyendo. De repente no reconocía a Burt. Nunca habíamos tenido una relación del todo fluida, pero sí creía que me había valorado mucho como profesional. Al menos hasta esa mañana.

Y sin embargo sentí que no había mucho más que hablar allí. ¿Qué iba a decirle? ¿Qué iba a rebatir? Tal vez esa era la señal, el empujón definitivo que necesitaba para salir de aquel trabajo y aquella oficina asfixiante.

Me levanté de un salto y le di la espalda. Ni siquiera tenía ganas de despedirme.

—Creo que me voy a casa por hoy —anuncié—. Pasaré a recoger mis cosas, o si eso es un problema le pediré a Celeste que me las dé.

Me detuve junto a la puerta y miré a Burt por última vez. Observé un leve temblor en sus labios, como si quisiera decir algo, coronar su patético discurso.

—Judy...

Rodeó la mesa que casi nunca ocupaba y se acercó a mí. De repente me molestó su invasiva cercanía.

—He de irme.

—Judy, de verás que lo siento. Pero creo que esto... podría tener una solución. Tal vez si aceptaras cenar conmigo esta noche y hablar las cosas tranquilamente puedo recapacitar y...

Y de repente, el brillo corrupto de sus ojos.

Burt alargó el brazo y me agarró por la cintura. Me pilló totalmente desprevenida, pero sobre todo no pude creerme aquel repugnante avance.

—¡Suéltame! ¿Qué estás haciendo, Burt?

—Judy...

Me atrajo hacia su camisa sudorosa y enterró su boca entre mi melena y mi cuello. Me susurró su confesión en el oído:

—Llevo demasiado tiempo pensando en ti, de una forma que tal vez no debería... No puedo tenerte cerca si sé que ahora perteneces a otro hombre. Por eso he tomado esta dura decisión.

Me revolví, intentando zafarme de aquel abrazo. Busqué desesperadamente el pomo de la puerta de su despacho. No se abrió. Estaba cerrado con llave.

—¡Dios mío, abre la maldita puerta de inmediato, Burt!

Sus brazos se estrecharon a mi alrededor aún con más fuerza. Y entonces, grité:

—¡Celeste!

Golpeé la puerta con la mano que me quedaba libre. Con la otra trataba de apartarlo. El corazón me iba a mil por hora.

CAPÍTULO 8

CEDRIC
    Esa fue la primera vez que tiré una puerta abajo. Mi rutina de pesas es constante pero relajada. Nunca he sido un tipo que tiene que usar su fuerza habitualmente, aunque mis brazos musculados expresen lo contrario.

Supongo que fue la adrenalina que me recorrió el cuerpo al oír el grito desgarrado de Judy dentro del despacho de Burt.

Lo oí y vi la expresión de pánico de la chica que trabajaba con Judy, junto a la puerta. Estaba paralizada, sin saber qué hacer. Señaló el pomo atascado en silencio.

Ni siquiera pensé en las consecuencias.

Solo recé que ella no estuviese detrás de la puerta y la lastimase con el golpe.

Di una patada con toda la energía que pude reunir. Y se abrió de un plumazo.

Me hirvió la sangre al ver al maldito Burt Thompson sobre mi chica.

No dije nada. No grité. Simplemente me fui directo hacia su cuello. Lo agarré por la camisa y le di un empujón. Su espalda golpeó contra la pared del despacho. Después le propiné un sonoro puñetazo. La sangre resbaló de inmediato por su nariz. Lo hice tan fuerte que creí haberme roto la mano, pero no me dolió. No tanto como la posibilidad de no haber llegado a tiempo para evitar todo aquello.

—Nos largamos de aquí —le dije a Judy.

Ella asintió.

Cogió su abrigo y su bolso y nos fuimos corriendo en dirección al ascensor, acompañados de su compañera, Celeste, quien aún no se había recuperado del *shock*.

Ya a salvo en el interior de mi coche, observé cómo Judy se llevaba la mano al corazón. Ahogó un sollozo. Yo ocupaba el asiento del copiloto mientras Louis conducía, y las dos chicas iban atrás. Estiré el brazo entre los dos asientos para alcanzar su mano, que ya no me soltó en todo el trayecto hasta llegar a casa.

—Pagará por lo que ha hecho —le dije.

—Solo quiero olvidarlo. Cuanto antes mejor. Y no volver a verlo nunca más.

Dejamos a Celeste en su casa, compungida. Sabía perfectamente que ella tampoco volvería a trabajar para aquel ser repugnante.

La observé por el retrovisor, y después me asomé de nuevo entre los asientos. No. necesitaba estar con ella, a su lado. Bajé del coche y me acomodé en el asiento trasero, con Judy, justo antes de despedirnos de Celeste.

Antes de que Judy volviese al interior del coche, las chicas se dieron un breve abrazo.

—No te preocupes por nada —le dije yo a su compañera—. Creo que es mejor que no vuelvas por allí. No es un sitio seguro tampoco para ti, Celeste. Enviaré a Louis a recoger vuestras cosas.

Celeste asintió.

—Es solo que...no sé qué le ha pasado —balcuceó—. Burt nunca había tenido un comportamiento inapropiado con nosotras.

—Yo sí lo sé, Celeste —contesté—. Pero ahora ya da igual. Y por favor, no te preocupes por el empleo. Ninguna de las dos va a tener problemas para encontrar algo mucho mejor. Y si no fuera así, tenéis un puesto garantizado en mi empresa.

—Gracias, Cedric. Creo que me voy a casa.

Me acomodé de nuevo en el coche. La cabeza de Judy reposaba sobre mi hombro. La rodeé con mi brazo. Solo quería que se calmase, que supiese sin ninguna sombra de duda que yo estaba allí para protegerla. Y que no iba a permitir que ningún Burt se propasara.

—Estabas en el momento y en el sitio adecuado…—susurró Judy junto a mi oído—. No sé que habría pasado si no hubieses llegado. ¿Cómo lo supiste, Cedric?

Respiré hondo.

—Lo vi. Hace un par de noches, mientras cenábamos en el Sugar. No quise decirte nada, pero vi a Burt allí mismo, a lo lejos, sentado en la barra. Observándonos. Y esta mañana he recibido un mensaje anónimo amenazante.

—¿Un anónimo?

—Recibí un extraño paquete. En él había un chaleco salvavidas, como los que hay a bordo del *All Oceans*. Estaba desinflado y tenía un cuchillo clavado.

Judy me miró, incrédula.

—¿Qué?

—Tal y como lo oyes. No sé, tuve una corazonada. Dejé de inmediato todo lo que estaba haciendo. Cancelé una reunión y le pedí a Louis que me llevase hasta vuestra oficina. Intuí que ese turbio mensaje venía de parte de Burt.

—No puedo creerlo —dijo Judy, con los ojos de nuevo llorosos—. Él nunca había hecho nada…

Me sulfuré. Aquel maldito cabrón iba a pagar por cada una de sus lágrimas.

—Reconozco la mirada de un hombre cuando observa a una mujer que ya no podrá tener, Judy.

Hundió de nuevo su rostro junto a mi cuello y permanecimos en silencio el resto del trayecto. Pensé rápido en la forma de arrancarle una sonrisa. Entonces me di cuenta de que era viernes y que Judy contaba, por el momento, con mucho tiempo libre.

Llegamos a nuestro destino, el edificio con vistas a Central Park en el que vivía desde hacía solo unos meses. De hecho estaba aún sin decorar. Antes de entrar, me detuve junto al portalón, sobre la acera.

Cogí a Judy de las manos y clavé mis ojos en los suyos.

—Tengo una idea. ¿Tienes planes para este fin de semana?

Sequé su última lágrima con las yemas de mis dedos. Judy negó con la cabeza.

—Esperaba que me propusieras algo —dijo, esbozando una tímida sonrisa.

—¿Tienes traje de baño?

—Por supuesto.

—Haz la maleta, cariño. Este fin de semana navegaremos hacia las Bahamas. El *All Oceans* está listo, y nos espera en el puerto.

Supongo que su grito de alegría y su abrazo repentino representaban un *sí*.

Judy y yo nos besamos, siendo conscientes de que, por fin, todo estaba bien.

Por fin íbamos a navegar juntos. En el *All Oceans* y sobre aquel asfalto, hasta el último de nuestros días.

EPILOGO

O *cho meses después*
JUDY

—Podría vivir aquí sin problemas —le dije a Cedric, mientras me ajustaba las gafas de sol.

¿Es tan locura como parece? Ya sabes, eso de mudarse definitivamente a tu sitio de vacaciones. Y no me refería al *All Oceans*, nuestro refugio perfecto en el mar. Era extraño. El barco parecía conducirnos una y otra vez hacia el mismo punto exacto de las Bahamas, como si tuviese autonomía propia. Pero por el momento éramos incapaces de decidirnos por otro destino.

Cedric estiró la mano, buscando la mía. Tomábamos el sol en dos grandes hamacas blancas, en la cubierta principal del yate.

—Haremos lo que tú quieras, *princesa*. Podemos mudarnos a una de estas islas cuando lo desees. Dirigiré mis negocios desde aquí. Solo necesito mi teléfono y Wi-Fi.

Me reí.

Siempre me reía cuando Cedric me llamaba *princesa*, porque aún no sabía si lo decía de forma irónica.

—Lo pensaré —le dije.

Todo estaba en calma, como aquel mar turquesa que nos envolvía. Navegábamos en el *All Oceans* mucho más a menudo de lo que jamás hubiese esperado. Contemplé la relajada silueta de mi prometido mientras se permitía desconectar de su trabajo durante unas horas, algo que no le resultaba fácil.

Hacía un rato habíamos recibido una llamada de Celeste, quien ahora trabajaba para Cedric, contándole las últimas novedades del despacho.

Yo no había vuelto a buscar un empleo. Estaba decidida a perseguir mi viejo sueño de montar un negocio *online* de moda vintage, en el que mi futuro marido estaba interesado en invertir.

Eso, obviamente, entraba en conflicto con mi repentina ocurrencia de quedarnos de vacaciones eternas en las Bahamas. Tenía mucho que gestionar a mi llegada a la ciudad, en solo tres días.

—Conozco al dueño de aquel hotel —me dijo Cedric, señalando hacia la playa que estaba a pocos kilómetros.

—Parece bonito.

—Lo es. Es bastante espectacular —me dijo—. El Hotel Paradiso. Es un antiguo colega de la universidad.

—Tal vez podríamos visitarlo algún día —le dije—. Aunque duermo muy bien en el barco.

—Podría ser divertido. Hace siglos que no veo a Luke y podría alojarnos en una de sus villas privadas con piscina.

Cedric sonrió.

Las cosas habían ido rápido.

Entre nosotros todo había sido intenso y volcánico. Y perfecto. Sin fisuras. Es bastante evidente cuando la persona correcta aparece por fin, aunque en el principio de los tiempos la odies.

Cedric se incorporó de la hamaca y estiró el torso, buscando mis labios.

Así estábamos, continuamente, sin poder apartarnos el uno del otro, persiguiendo la forma de trabajar y atender los compromisos de la vida real desde la distancia, desde el refugio perfecto para nuestro amor.

—Te quiero, Judy Collins —susurró Cedric.

Apreté sus dedos entre los míos.

—Te quiero —contesté.

No había día que no pronunciásemos esas dos palabras. No las necesitábamos oír, tal vez. Ambos lo *sabíamos.* Tenía la tranquilizadora sensación de que nuestro vínculo era inquebrantable, de hierro, y que se había sellado en aquella misma cubierta, en nuestro segundo encuentro.

Me levanté y paseé por la cubierta hasta la proa del barco. No pasaron ni cinco segundos y ya sentía la envolvente presencia de Cedric. Su respiración junto a mi cuello, tan agradable como el sol que nos bañaba. Me rodeó con sus brazos mientras contemplábamos la playa blanca de White Meadows.

Supongo que a veces las cosas salen bien, incluso aunque nos empeñemos en sabotearlas, ¿no?

Milton Keynes UK
Ingram Content Group UK Ltd.
UKHW010932280823
427620UK00001B/138